D1245767

¡MATEN A FIDEL!

La apasionante trama de los atentados

al líder cubano

José Andrés López

¡MATEN A FIDEL!

La apasionante trama de los atentados
al líder cubano

CONJURAS

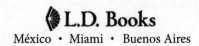
L.D. Books
México • Miami • Buenos Aires

¡Maten a Fidel!
©José Andrés López, 2009

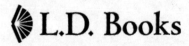 **L.D. Books**

D.R. ©Editorial Lectorum, S.A. de C.V., 2009
Centeno 79-A, col. Granjas Esmeralda
C.P. 09810, México, D.F.
Tel: 5581 3202
www.lectorum.com.mx
ventas@lectorum.com.mx

  L.D. Books Inc.
  Miami, Florida
  sales@ldbooks.com

  Lectorum S.A.
  Buenos Aires, Argentina
  ventas@lectorum-ugerman.com.ar

Primera edición: agosto de 2009
ISBN: 978-607-457-040-3

D.R. ©Portada: Victoria Burghi
D.R. ©Fotos de portada: *Library of Congress*. USA.

Impreso y encuadernado en México.
Printed and bound in Mexico.

Introducción

"Y esta demanda está basada en el derecho de nuestro destino manifiesto a poseer todo el continente que nos ha dado la Providencia para desarrollar nuestro gran cometido de libertad y autogobierno".

John L. O'Sullivan, periodista estadounidense, 1845

El comienzo de la década del 50 había traído algunos sobresaltos para la sección que atendía los asuntos latinoamericanos del Departamento de Estado en Washington.

Lo preocupante para los funcionarios encargados de monitorear la región era que la turbulencia mayor se había registrado en Guatemala, una república considerada parte integrante de lo que los Estados Unidos consideraron siempre una prolongación de su propio territorio.

Los orígenes de esa concepción geopolítica pueden rastrearse en el siglo XIX, cuando la llamada Doctrina Monroe −atribuida a James Monroe (1758-1831), quinto presidente de los Estados Unidos−, anunciada el 2 de diciembre de 1823, proclamó "América para los americanos". Si bien puede argumentarse que esa formulación, presentada por el presidente durante su séptimo discurso al Congreso, era en realidad una declaración en contra de las intenciones europeas de abortar los procesos anticoloniales latinoamericanos, en esa proclama puede divisarse también el primer esbozo de Washington de asumir responsabilidades particulares en relación al territorio situado al sur de sus fronteras.

Fue durante la presidencia de James Knox Polk cuando comenzó a develarse con más claridad qué había querido decir Monroe con su meneada frase. En su mensaje al Congreso en diciembre de 1845, el presidente Polk fue suficientemente claro al señalar:

"Es nuestro principio inmutable que sólo los habitantes de este continente tienen el derecho de decidir sobre su propio destino. Si una parte de éstos, hoy día constituidos en un estado independiente, intentan unirse a nuestra Confederación, el asunto deberá decidirse entre nosotros y ellos, sin intervención de otros Estados".

Cinco meses después de este discurso, en mayo de 1846, el mismo presidente impartió la orden para que tropas estadounidenses invadieran México. En 1848, la estrategia de Polk tuvo éxito, y México cedió el control de casi la mitad de su territorio en el Tratado de Guadalupe Hidalgo, que significó añadir 3,1 millones de kilómetros cuadrados al territorio de los Estados Unidos.

Pasaron ochenta años desde la Doctrina Monroe, para que se conociese en 1904 el denominado Corolario Roosevelt. La Casa Blanca, la morada de los presidentes que comenzó a llamarse así en la presidencia de Theodore Roosevelt (1858-1919), se otorgaba a sí misma el poder de policía para intervenir en cualquier país americano, en el cual a su juicio estuvieran en peligro los intereses de los Estados Unidos. Roosevelt fue el vigésimo sexto presidente estadounidense, y en su mensaje anual del citado año dejó en claro sus intenciones de legitimar para su país el uso de la fuerza:

"Si una nación demuestra que sabe actuar con una eficacia razonable y con el sentido de las conveniencias en materia social y política, si mantiene el orden y respeta sus obligaciones, no tiene por qué temer una intervención de los Estados Unidos. La injusticia crónica o la importancia que resultan de un relajamiento general de las reglas de una sociedad civilizada pueden exigir que, en consecuencia, en América o fuera de ella, la intervención de una nación civilizada y, en el hemisferio occidental, la adhesión de los Estados Unidos a la Doctrina Monroe [basada en la frase "América para los americanos"] puede obligar a los Estados Unidos, aunque en contra de sus deseos, en casos flagrantes de injusticia o de impotencia, a ejercer un poder de policía internacional".

Se iniciaba así una descarnada estrategia mirando hacia las tierras del sur. Las principales víctimas de la "política del gran garrote" (*big stick policy*) fueron las repúblicas de América Central y el Caribe, área en la cual Washington desarrolló incluso una experiencia colonial en la Zona del Canal de Panamá, que persistió hasta finales del siglo XX.

En el marco de una sucesión de intervenciones políticas y militares en Cuba, Puerto Rico, Haití, República Dominicana y Nicaragua, el conflicto surgido en Guatemala significó una especial preocupación para Washington.

El país era gobernado democráticamente desde 1945, cuando había ganado las elecciones el doctor Juan José Arévalo (1904-1990). A este profesor de Pedagogía, en 1951 lo sucedió en elecciones libres el coronel Jacobo Arbenz Guzmán (1913-1971), quien entre sus realizaciones firmó el decreto 900, estableciendo la Reforma Agraria en su país. Y allí quedó sellada su suerte.

Apenas conocida esa resolución, el presidente Dwight Eisenhower (1890-1969) no se anduvo con disimulo y declaró solemnemente: "Sobre Guatemala cayó la Cortina de Hierro".

El 27 de junio de 1954, después de un golpe militar organizado por la CIA, el presidente Arbenz firmaba su dimisión y pedía asilo político en la embajada mexicana. Los estrategas del golpe no sospechaban que esa descarada intervención serviría, paradójicamente, como escuela política revolucionaria para numerosos latinoamericanos que vivieron la experiencia guatemalteca.

Mirna Torres, de nacionalidad nicaragüense, estaba por entonces exilada en Guatemala, debido a la persecución ejercida sobre su padre por la familia Somoza. En un primer encuentro con ella en La Habana, Mirna accedió a conversar conmigo sobre aquellos años y sobre la especial atracción que ejercía Guatemala:

"El proceso encabezado por Arbenz era el motivo principal por el cual arribaban cientos de jóvenes, queriendo ver de cerca la realidad de este país que desafiaba a Washington".

A la casa de la familia Torres llegó entonces un grupo de exiliados cubanos, y también Ernesto Guevara, un médico argentino recién recibido, acompañado de su amiga peruana Hilda Gadea.

"Una noche Ernesto conoció a mis padres, y también a 'los cubanos'. Así llamábamos a Ñico López, Armando Arencibia, Darío González (*El Gallego*) y Mario Dalmau, exiliados en Guatemala luego del asalto a los cuarteles de Moncada y de Bayamo, el 26 de julio de 1953. Ñico fue la primera persona que nos habló con gran entusiasmo de Fidel Castro. Con honestidad, debo decir que yo no creía todo lo que nos decía".

Fue en la casa de Mirna donde Ernesto Guevara escuchó también hablar por primera vez del tal Castro. Esa noche comenzó una amistad entrañable entre Ñico López y Ernesto, que continuó en México y se prolongó en la aventura del *Granma*.

Ñico falleció en los primeros días después del desembarco y Ernesto se convirtió en el Comandante Che Guevara.

El 1° de enero de 1959 los guerrilleros de Sierra Maestra ingresaban triunfantes a La Habana. Empezaba la historia de la Revolución Cubana.

Y desde ese día, comenzó a tomar cuerpo la imperativa consigna: "¡Maten a Fidel!"

Capítulo 1
RECUERDOS DEL MALECÓN

"Aquí detuvimos al mafioso Santos Traficante en enero de 1960", me dijo sencillamente y en tono íntimo el general Fabián Escalante, señalando el cabaret *Copa Room* del Hotel Habana Riviera. Era la madrugada del 11 de febrero de 2007 y nos habíamos reunido un grupo de amigos para festejar mi cumpleaños.

El Hotel Habana Riviera es un símbolo prestigioso de la capital cubana. Su encanto caribeño y su ambiente lo convierten en uno de los hoteles más queridos por los cubanos y por muchos visitantes internacionales: poetas, bailarines, pintores, actores, cineastas, escritores, premios Nobel, artistas de todo tipo han pasado por sus habitaciones.

A finales de la década del 50, el capo mafioso Meyer Lansky retornó a La Habana –donde ya había estado lucrando con el floreciente negocio del juego– con el objetivo de ampliar la esfera de influencia de sus negocios, después de haber concertado una serie de alianzas con sus socios de Las Vegas.

Su idea fundamental era crear una red de casinos-hoteles, siempre con el apoyo del entonces presidente Fulgencio Batista. El lugar elegido fue el Paseo Nº1 y Malecón. El hotel fue bautizado con el nombre de Riviera, en recordación a la famosa Riviera Francesa. La inauguración aconteció el 10 de diciembre de 1957, y para la apertura del cabaret fue invitada especialmente la célebre actriz, bailarina y cantante Ginger Rogers, quien presentó allí un espectáculo musical.

El tiempo demostró que la idea del mafioso polaco-norteamericano no era alocada. A través del juego, recaudaba en el flamante hotel más de un millón de dólares al año.

En ese momento, Meyer Lansky, que se entusiasmaba con el nacimiento de una edición caribeña de Las Vegas, no podía imaginar que en ese mismo cabaret, el 22 de enero de 1959, el comandante Fidel Castro ofrecería una conferencia de prensa ante más de 300 periodistas extranjeros, para dar a conocer un panorama de lo que estaba ocurriendo en Cuba.

El encuentro del líder de la Revolución con los corresponsales del exterior fue un eslabón de la llamada Operación Verdad, emprendida para enfrentar las críticas, provenientes en especial de los Estados Unidos, con relación a los juicios a represores del régimen de Fulgencio Batista.

Pero volvamos a la mencionada reunión de amigos para el festejo de cumpleaños. El grupo se completó con varios periodistas y dirigentes de movimientos sociales y políticos que integraban la delegación de la provincia argentina de Santa Fe a la Feria del Libro de La Habana, en la que Argentina era, ese año, el país invitado de honor.

La provincia de Santa Fe presentaba un stand que reproducía casi en tamaño real, a través de gigantografías, el departamento donde nació el Che Guevara en la ciudad de Rosario. En esa oportunidad, junto al periodista cubano José Bodes presentamos el libro *Perón-Fidel. Línea directa*, un texto que analiza la historia y el desarrollo de las relaciones entre el líder del peronismo y la Revolución Cubana. En 1974 y a través de una decisión política de Juan Perón, la Argentina le otorgó un crédito superior a los mil millones de dólares y se convirtió en el primer país en romper el bloqueo norteamericano a Cuba. De eso habla nuestro libro y sobre eso habíamos disertado.

En el festejo no hubo lugar para hablar de política, pero me seguía zumbando en el oído la historia de la detención de Santos Traficante, a pocos metros de donde disfrutábamos de los clásicos y tradicionales mojitos cubanos.

No era un dato menor. Traficante, notable mafioso norteamericano y ejecutor de "trabajos sucios" privados y oficiales, había sido un eslabón fundamental para organizar diversos intentos de asesinar a Fidel Castro.

Mientras festejaba, y sin dejar de unirme a la alegría del encuentro, una parte de mi cabeza había quedado anclada en el comentario de Escalante. ¿Cuántas veces habían atentado contra el líder cubano? Levanté la copa más de una vez. Tenía un año más, pero también una convicción nueva. En esa oportunidad me convencí de que había mucho para indagar sobre aquellos atentados y de que Fabián Escalante era un nombre clave.

El interlocutor indicado

Mi primer diálogo con Escalante había sido en un pequeño hotel en el Paseo del Prado, muy próximo al centro histórico de la ciudad. En esa oportunidad, él y un grupo de argentinos, entre los que me contaba, intercambiamos opiniones sobre los pasos iniciales para organizar en Rosario, la ciudad natal del Che, los actos por el 80° cumpleaños del histórico guerrillero argentino-cubano. Esa charla inicial se ha prolongado hasta hoy, personalmente durante mis visitas a Cuba y a la distancia a través del correo electrónico.

Esta particular interlocución gravitó en la realización y en gran parte de los datos del presente trabajo, por lo que en su desarrollo habrá más de una alusión a circunstancias o diálogos personales de quien escribe estas líneas. Ajeno a todo intento de distanciamiento u "objetividad", no creo que escape al lector el placer que siento de haber tenido encuentros con testigos muy ligados a jornadas ya sin duda históricas, aquí brevemente reseñadas. Por cierto, Escalante no es el menos relevante de dichos testigos. A su notable generosidad y llaneza debe atribuirse el tono coloquial que surgirá a menudo en todo el texto, cuando cite sus testimonios.

Durante todos estos años, nuestra conversación ha tenido un objetivo recurrente: analizar los distintos intentos de derrocar la Revolución Cubana, operativos que incluían como apéndice necesario el asesinato de Fidel Castro y otros líderes cubanos.

Siendo un adolescente, Fabián Escalante se incorporó en 1954 al movimiento de la Juventud Socialista, que enfrentaba al dictador Fulgencio Batista. El triunfo de la Revolución lo sorprendió detenido en una de las cárceles habaneras.

Escalante fue fundador de los servicios de seguridad cubanos, donde ocupó diferentes cargos y en 1976 alcanzó la jefatura de ese departamento. En 1982 cumplió una misión internacionalista en Nicaragua. Ejerció la Jefatura de la Dirección Política del Ministerio del Interior, en 1988 fue ascendido al grado de General de División y en 1996 pasó a retiro.

Graduado en la Facultad de Derecho por la Universidad de La Habana, fue profesor adjunto del Departamento de Estudios Sociales. Ha participado como miembro de delegaciones cubanas en reuniones tripartitas cubano-soviético-norteamericanas que abordaron las causas, consecuencias y lecciones de la Crisis de los Misiles de octubre de 1962.

Tal era el personaje que había lanzado aquella expresión al paso en esa madrugada de festejo. En 1961, a los veintiún años de edad, Escalante fue destinado al Buró de atentados, como se denominaba la unidad que dentro del Departamento de Seguridad era la encargada de investigar los complots y conspiraciones contra los dirigentes revolucionarios.

Joyas nada brillantes

El 26 de junio de 2007, en los medios masivos de todo el mundo predominaba un titular impactante: la CIA había decidido desclasificar los documentos conocidos como "Joyas de la familia" (*CIA's Family Jewels*), que detallan algunos de los peores abusos perpetrados por este organismo entre las décadas de los 50 y los 70.

Lo que hoy se conoce públicamente son los documentos que Richard Helms, un ex jefe de la Agencia, denominaba "los esqueletos del armario" y a veces, de manera coloquial, "los testículos de la CIA".

Esa serie de textos fueron escritos hace más de treinta años, cuando en mayo de 1973, el entonces director del organismo, James Schlesinger, pidió a sus empleados (como consta en una de las cartas desclasificadas) que le detallaran, según sus palabras:

"...cualquier actividad que esté ocurriendo, o haya ocurrido, que se pueda interpretar como fuera de la carta legislativa de la Agencia".

Schlesinger, nombrado por Richard Nixon tres meses antes de tomar esa decisión, no podía ignorar que había iniciado un camino riesgoso para un organismo que había hecho de las actividades encubiertas, tanto en territorio de los Estados Unidos como en el extranjero, la razón de ser de su existencia. Por cierto, el 50% del presupuesto de la CIA estaba destinado a las operaciones encubiertas.

Apenas se instaló en su despacho, a James Schlesinger comenzaron a llegarle rumores sobre operativos de la CIA en sucesos resonantes como el escándalo de *Watergate*.

La nota conocida como *Memorandum Schlesinger* y dirigida a todos los miembros de la CIA, no dejaba lugar a dudas sobre cuáles eran las obligaciones y responsabilidades:

"Recientemente diversos artículos de prensa han detallado ciertas actividades de la CIA en lo relativo a Howard Hunt y otras partes [sic]. Esas actividades serán investigadas por el Comité de Asignaciones del Senado. Viendo todo esto, la Agencia se limitará a dar asistencia en requerimiento a los funcionarios del Senado. La Agencia cooperará con los cuerpos de control de la Ley, sobre sus actividades pasadas y las que continúan realizándose".

Howard Hunt, a quien Schlesinger se refiere concretamente en su nota, era un antiguo oficial de inteligencia que integró la organización desde sus comienzos y trabajó durante más de veinte años en la Agencia, donde participó entre otros hechos en el derrocamiento de Jacobo Arbenz en Guatemala, en la invasión de Bahía de Cochinos y en la relación con el grupo conocido como "los fontaneros de la Casa Blanca", responsables del escándalo de *Watergate*. El nombre de Howard Hunt aparecerá repetidamente en este libro.

Diversos analistas e historiadores de la CIA consideran que la debacle de este organismo como servicio de inteligencia secreto, se inició el día en que el presidente Richard Nixon despidió a Richard Helms como director y nombró a James Schlesinger.

Helms, uno de los campeones de las acciones encubiertas de la Agencia, había sido destituido por Nixon porque éste tenía la convicción de que el director no se había jugado lo suficiente para defenderlo luego de conocido el escándalo de fraudes, sabotajes y espionaje interno que acabaría costándole el puesto al mismo presidente de los Estados Unidos. Nixon le ofreció al destituido funcionario el cargo de embajador en Moscú, y Helms prefirió ese mismo rango en Teherán.

Nixon y Helms se tenían una mutua desconfianza. Según relata Tim Weiner en su libro *Legado de cenizas*, en sus últimos días en el cargo...

"...Helms llegó a temer que Nixon y sus leales saquearan los archivos de la CIA, e hizo todo lo que pudo para destruir dos series de documentos secretos, que podrían haber arruinado a la Agencia."

Pero no puede atribuirse a una sola persona, en este caso James Schlesinger, y menos a su memorándum la debacle de la CIA. El poder de las operaciones secretas comenzó a derrumbarse al compás de las mentiras que los propios presidentes debían anunciar en nombre de la seguridad nacional de los Estados Unidos.

Baste citar unas pocas como ejemplo de ellas. Según las respectivas versiones oficiales:

+ El avión espía U2 derribado por la Unión Soviética el 1º de mayo de 1960 era un aparato que hacía investigaciones climatológicas.

+ Estados Unidos nunca invadiría a Cuba.

+ Lanchas norvietnamitas habían atacado a naves norteamericanas en el Golfo de Tonkin.

+ La guerra de Vietnam era para salvar a la humanidad...

La renuncia escandalosa de Richard Nixon mostró claramente que ese andamiaje construido en base a falsedades ya no servía. Pero algunos hábitos son difíciles de erradicar. Y la historia de engaños se repitió.

El 31 de marzo de 2005 quedó en descubierto en un informe de 600 páginas, fruto de una investigación presidida por el juez Laurence Silberman, que las afirmaciones de años atrás de los servicios de inteligencia acerca de la posesión de armas químicas de destrucción masiva por parte de Sadam Hussein eran falsas. Ellas, no obstante, habían sido el argumento principal para la invasión a ese país y la guerra iniciada en 2003.

Pero volvamos a mayo de 1973. Según las directivas de Schlesinger, la CIA debía recopilar las operaciones clandestinas descriptas como "altamente volátiles" y que podían comprometer al gobierno de los Estados Unidos. Los encargados de la tarea conformaron un expediente de más de 700 páginas, en el que se describían programas ilegales de espionaje doméstico, dirigidos desde la propia Casa Blanca en la época de Nixon; un programa de apertura no autorizada de correo de ciudadanos estadounidenses; la complicidad de la CIA en el caso *Watergate*; planes de asesinato de líderes políticos en el Congo, Cuba y la República Dominicana, entre otras pequeñeces. En total, se enumeraban tres centenares de operaciones que violaban la carta de la Agencia Central de Inteligencia.

Según los Archivos de Seguridad Nacional –un centro de estudios de la Universidad George Washington–, estas "joyas" conocidas en 2007 conforman la primera "desclasificación voluntaria de materiales controvertidos" de la CIA, desde que en 1998 el entonces director de la agencia, George Tenet, incumplió su promesa de divulgar datos sobre sus operaciones durante la Guerra Fría.

Beber de la fuente

Apenas tuve acceso a los documentos publicados en la prensa y sitios de Internet donde se podían consultar los originales de las opacas joyas, envié un cuestionario a La Habana para conocer la opinión de Fabián Escalante. Las preguntas estaban referidas específicamente a los intentos de asesinato a Fidel Castro y otros dirigentes cubanos.

Mi primer interrogante era si los órganos de la Seguridad cubana se habían sorprendido por lo publicado. La respuesta de Escalante fue contundente:

"Nada existe de nuevo en los documentos desclasificados. Podría decirse que, en todo caso, es más de lo mismo. El origen de la información que actualmente se desclasifica se encuentra en un documento de la CIA firmado por su inspector general, que en 1967 explicó ochos complots contra la vida de Fidel, y eso a causa de un artículo del periodista Drew Pearson, que en esa fecha denunció los hechos en el *New York Times*".

Teniendo en cuenta los diversos intentos de asesinar a Castro, organizados en distintas presidencias de los Estados Unidos, la segunda cuestión era confrontar los datos de una y otra fuente. Esto es: ¿cuántos intentos reconoce a la fecha la CIA y cuántos constan en las investigaciones cubanas? Escalante, que ha participado directamente en la neutralización de muchos de ellos, brinda datos asombrosos:

"De 1958 al 2000 fueron 634 tentativas, de las cuales 167 fueron descubiertas y neutralizadas en la fase final del proyecto. La primera, aun antes de caer Batista; en ella participó un agente norteamericano del FBI, Alan Robert Nye. Pretendía asesinar a Castro durante la ofensiva final contra la dictadura en la región oriental del país. La última conocida por mí es el de Posada Carriles en Panamá [2000], cuando intentó colocar una bomba en el teatro de la Universidad de esa ciudad, para hacerla explotar en un acto de solidaridad con Cuba, en el que Fidel hablaría".

La diferencia con los datos admitidos por los Estados Unidos es más que notable.

Por otra parte, una de las cuestiones más interesantes del material desclasificado por la Agencia es la estrecha relación CIA-Mafia. Por ello le pregunté a Escalante si podía inferirse que ese mismo esquema estructurado para asesinar a Fidel Castro pudo haber sido utilizado para otros planes de asesinatos. Y éste no dudó en su respuesta:

"Por supuesto que la relación iba más allá de Cuba. [Entre ellos] Se establecieron las bases para una colaboración estable. Aunque te recuerdo que los primeros contactos entre el gobierno de USA y la Mafia datan de finales de la Segunda Guerra

Mundial, cuando Lucky Luciano, el capo de todos los capos, facilitó el desembarco de las tropas norteamericanas en Sicilia a cambio de su liberación".

Los documentos ahora conocidos dan a entender que los planes de asesinar a Fidel Castro fueron desarrollados y/o ejecutados en la etapa presidencial de Eisenhower, y en algún período de John Fitzgerald Kennedy. Pero la parte cubana no concuerda con este enfoque, y Escalante sostiene:

"Los complots de asesinato se han extendido hasta nuestros días y en ello han participado todas las administraciones, con la probable excepción de la de Carter. Hay documentos desclasificados que incriminan al fiscal Robert Kennedy, durante la Operación Mangosta, en 1962. Incluso ahora, entre las nuevas desclasificaciones se menciona nuevamente al hermano del presidente asesinado, probablemente para utilizarlas contra los demócratas en las próximas campañas electorales".

Conforme a su enfoque, no sería cierto que después del fracaso de la invasión en Bahía de Cochinos se hayan desactivado todos los planes de asesinato a Castro.

"No, en absoluto. Incluso puedo afirmar que se incrementaron los complots contra la vida y las ideas de Fidel. Te recuerdo que no sólo han querido eliminarlo físicamente, sino también moral, ética y espiritualmente. Incluso después de Playa Girón, como dicen algunos de los documentos, la CIA contactó de nuevo a la Mafia para activar el proyecto de las pastillas envenenadas. Recientemente, en un programa de una radio en Miami denominado 'La noche se mueve' y dirigido por Edmundo García, Antonio Veciana –un terrorista de vieja data– afirmó que en 1971 la CIA le orientó a asesinar a Fidel durante su viaje a Chile. ¿Es que acaso esto no se cuenta?"

Paralelamente al conocimiento de estas "joyas de familia", se producía la enfermedad de Fidel Castro y la Secretaria de Estado de la Administración Bush, Condoleezza Rice, declaraba a la prensa que Estados Unidos no permitiría otro dictador en Cuba. Le pregunté a Escalante cómo tomar esas palabras.

"Como una amenaza más. La característica de la política de Estados Unidos hacia Cuba en más de cuarenta y ocho años, la han constituido las amenazas, los chantajes y las agresiones. Sin embargo, nada han podido. Nunca aprendieron de nuestra historia y de nuestras luchas".

Mi olfato de periodista me decía que el diálogo con el experimentado hombre de seguridad podía dar mucho jugo. Así podría acceder a la versión más directa y menos frecuentada de un tema que cuenta con versiones distantes y sobre todo unilaterales. Sólo deseaba que ese diálogo no se cortara.

Balance de medio siglo

Lejos de la imagen estereotipada al estilo de los personajes de John Le Carré, Fabián Escalante es un interlocutor sencillo, claro, que no ve su experiencia como algo sobrenatural, sino que enfoca los temas de seguridad, inteligencia y contrainteligencia en el gran escenario de la política regional e internacional.

De su trabajo en la seguridad cubana y de sus años como internacionalista en Nicaragua, surgieron varios libros que son de lectura indispensable para conocer acontecimientos que en Latinoamérica y en los Estados Unidos permanecen en la nebulosa y aún hoy generan polémicas. Su vida es parte de una "guerra silenciosa" que se viene librando desde enero de 1959.

Nunca quiso afectar protagonismo alguno. Una vez que le pregunté qué significaba su trabajo personal, cuál era su naturaleza e importancia, fue amable y escueto:

"No me gusta mucho hablar de mí y no por falsa modestia, sino porque nuestro trabajo es colectivo, de muchos".

Obviamente respeté su silencio. Y para saber algo más sobre sus compañeros de tareas y sobre él mismo, debí esperar hasta que apareciese su libro *Operación Exterminio. 50 años de agresiones contra Cuba*. Allí, en el capítulo titulado "Nosotros", Escalante escribe sobre los años fundacionales de la seguridad revolucionaria:

"Seguramente el lector se preguntará quiénes éramos, cuáles eran las raíces y los antecedentes y sobre todo, el nivel de nuestra instrucción y por tanto de profesionalidad. Las respuestas son sencillas. Todos éramos muy jóvenes, los más con veinte y tantos años; provenientes de las tres organizaciones políticas y revolucionarias [Movimiento 26 de Julio, Partido Socialista Popular y Directorio Revolucionario Estudiantil] que participaron en la lucha contra la dictadura de Batista".

Más adelante, Escalante subraya la común falta de experiencia:

"Nadie tenía la menor idea de la actividad que debíamos enfrentar, sólo estábamos armados con las ideas revolucionarias proclamadas por Fidel Castro y con su mística, que resultó decisiva en los combates posteriores".

Apenas leí el libro, publicado a fines de 2008, volví a la carga con mis cuestionarios electrónicos. Aun entendiendo que sobre este tema, y más cuando se dan nombres, hay un cuidado especial en preservar identidades, fui sincero y le comenté que como lector, ese capítulo de los combatientes de la guerra silenciosa me hubiese gustado más extenso. Afable, me prometió que lo ampliaría en futuros trabajos. En noviembre de 2007 viajé como corresponsal de radio y TV para cubrir la Feria Internacional de La Habana. Y volví a encontrarme con Fabián.

El argentino curioso

En este nuevo viaje, encontré una Cuba que vivía un momento especial. Fidel no estaba ya en el manejo diario de los asuntos del gobierno y del Estado. Mis preguntas continuaron siendo acuciantes, y más allá de sus naturales reticencias, él manifestaba la generosidad de siempre. Yo no lo sabía entonces, pero en nuestras conversaciones iba naciendo este libro. En una ocasión en la que almorzamos en su oficina, pasamos revista a los escollos y peligros que, día a día, debía sortear el proceso revolucionario.

"Mira, Coco, la historia de agresiones y subversión para frustrar el triunfo revolucionario comenzó inmediatamente después de que los gobernantes norteamericanos se percataran de que el movimiento político encabezado por Fidel Castro era algo totalmente diferente a otros procesos de la historia cubana. Te doy un ejemplo: mientras Fidel Castro viajaba en abril de 1959 a Estados Unidos para explicar su programa de justicia social y recabar respeto al proyecto iniciado, la CIA, aliada con el dictador dominicano Rafael Leónidas Trujillo, comenzaba a estructurar un complot en el que participaban cómplices cubanos y con el cual planeaban derrocar, mediante una invasión mercenaria, al gobierno revolucionario. La Conspiración Trujillista, que así se denominó, fue desarticulada y concluyó en un rotundo fiasco".

Tratamos de establecer un repaso en orden cronológico. Así nos ubicamos en los años finales de la gestión de *Ike* Eisenhower como presidente.

"En marzo de 1960, el jefe de la Casa Blanca firmó la denominada Orden Ejecutiva, que autorizaba a la CIA a organizar un proyecto para derrocar al gobierno cubano. Primero pensaron que con acción psicológica era suficiente para lograr un alzamiento interno. Luego, al no avanzar esta posibilidad, pasaron directamente a la segunda fase del plan, en la que se organizó un ataque sorpresivo como paso previo a la intervención militar norteamericana. Así nació la invasión de Bahía de los Cochinos y la aplastante derrota en Playa Girón".

Con el título de *Acción Ejecutiva* –que hace mención a la orden firmada por el presidente Eisenhower– Escalante publicó el libro más documentado sobre los diversos intentos de asesinato a Castro, objetivo que es, desde hace más de medio siglo, una obsesión de la Casa Blanca, de la CIA, de los anticastristas en el exilio y de distintos grupos políticos que ven en Cuba un modelo irritante.

Capítulo 2
UN GENERAL EN EL SALÓN OVAL

"El problema de la defensa es qué tan lejos puede ir sin destruir
desde dentro lo que usted está tratando de defender desde fuera".

Dwight Eisenhower

En el mismo momento en que juraba como 34º presidente de
los Estados Unidos, en enero de 1953, el general Dwight
Eisenhower, conocido popularmente como *Ike*, pasó rápida
revista a su vida. Acababa de cumplir sesenta y un años. Casi
cuarenta de ellos los había pasado en el ejército, desde el día
que ingresara a los veintiún años en la Academia de West Point.
Había sido un largo recorrido, y en él confluyeron y se alterna-
ron oficinas burocráticas y frentes de batalla.

Muchos de sus biógrafos tratan de no abundar en detalles
polémicos, como aquel referido a cuando en marzo de 1916 y
con el grado de teniente, *Ike* integró un batallón punitivo de
11.000 soldados contra el líder mexicano Pancho Villa, quien
había ingresado a la localidad de Columbus, en Nuevo México,
para vengarse de la intromisión norteamericana en el proceso
revolucionario de su país. La búsqueda de Villa llevaría a las
tropas estadounidenses unos 600 kilómetros adentro de México, llegando hasta la ciudad de Parral, desde donde retrocedie-
ron a sus bases.

En su recorrida mental, ya instalado en la Casa Blanca, *Ike*
recordó los años de la Segunda Guerra Mundial, la campaña en
África, en Italia, el desembarco en Normandía y su designación
como comandante de las fuerzas norteamericanas en Europa.

Los últimos años de su carrera militar habían sido en el
comando de la OTAN, teniendo como responsabilidad principal diagramar un esquema de contención al comunismo. Ese
trabajo lo acompañaría durante toda su tarea al frente del Estado más poderoso de la tierra. Es más: se convertiría en una

obsesión personal: ¿cómo ponerle freno a la expansión soviética? Por cierto, sus respuestas no eran tímidas, e incluían la disuasión nuclear en caso de tener que frenar una escalada del inminente "peligro rojo".

Una de las primeras tareas de Eisenhower desde la presidencia fue cumplir con una de sus promesas electorales y poner fin a la guerra de Corea, el primer enfrentamiento de la Guerra Fría, que terminó con la división de aquel país en dos estados. Pero su gran desafío seguía siendo la disputa en los planos económico, político y militar con la Unión Soviética.

El análisis de este tramo de la historia mundial ofrece la posibilidad de entender comportamientos posteriores, en especial el obstinado anticomunismo en los Estados Unidos, que tuvo más tarde trágicas consecuencias para varios pueblos latinoamericanos.

Distintos historiadores coinciden en que Eisenhower consideraba como su principal tarea enfrentar el poderío soviético sin desencadenar una Tercera Guerra Mundial, conservando al mismo tiempo los parámetros de la democracia estadounidense.

Como en un juego de espejos, mientras la Casa Blanca intensificaba su desarrollo nuclear y las operaciones encubiertas fuera de las fronteras, la Unión Soviética se preparaba para enfrentar su parte del desafío. La carrera nuclear estaba en marcha.

En 1949, es decir cuatro años después de Hiroshima, los soviéticos desarrollaron su propia arma atómica. En 1953, nueve meses después que los Estados Unidos, poseían ellos también la bomba de hidrógeno.

El hecho de que cada una de las superpotencias manejara su propio armamento nuclear estableció reglas de juego claras y al mismo tiempo complejas en cuanto a la posibilidad de utilizar o no la guerra como arma política. En el marco de esa paridad y respecto del bloque rival florecieron en los Estados Unidos distintas corrientes de pensamiento. Algunas de ellas alimentaban el "anticomunismo apocalíptico", según la gráfica expresión del historiador Eric Hobsbawm. En este contexto debe ubicarse la conocida campaña emprendida por el senador Joseph Mc Carthy, con la denuncia irracional de enemigos internos, que según él eran, todos ellos, comunistas infiltrados en diversos sectores de la sociedad, del gobierno y del Estado.

No menos dramático fue en ese período el suicidio de James Forestal, ex secretario de Defensa de Harry Truman, quien se arrojó desde la ventana de un hospital psiquiátrico, ante lo que él visualizaba como una inminente invasión rusa.

Es en un escenario de estas peculiares características políticas que *Ike* comenzó su primera presidencia. Según actas del Consejo de Seguridad Nacional desclasificadas en 2003, al presidente le preocupaba, como prioridad uno, la posibilidad de que los Estados Unidos sufriesen un nuevo ataque de sorpresa, al estilo de Pearl Harbor, pero en este caso con armas nucleares.

En este sentido, la CIA tenía para él malas noticias: los canales de inteligencia no tenían por entonces posibilidad de establecer un alerta temprana ante una agresión de tal naturaleza. La obsesión sólo podía realimentarse.

Para este trabajo tiene importancia analizar de qué manera Eisenhower, frente a lo que consideraba un peligro inminente, creyó que podría afrontarlo con acciones encubiertas y organizaciones clandestinas. Según datos que comenzaron a conocerse a fines de la década del 60, durante los años 1953-1961 la CIA realizó 170 operaciones encubiertas importantes en 48 países. Éstas incluían acciones en el plano político, psicológico y paramilitar. Lo llamativo es que durante ese período, el Departamento de Estado y la CIA eran dirigidos por dos hermanos: John Foster Dulles y Allen Dulles. Junto con Ike, estos hermanos formaron un terceto que se comprometió a rediseñar el nuevo mapa mundial surgido después de la Segunda Guerra, en especial en las porciones del territorio europeo donde había regímenes socialistas, y en aquellos países en que comenzaba el proceso de descolonización.

El mecanismo, según desentrañaron investigadores de la época, comenzaba en la CIA con el bosquejo de las operaciones clandestinas a cargo de Allen Dulles, quien luego de afinar detalles transmitía los planes a su hermano Foster, convertido a su vez en el vocero ideal para convencer al Presidente de la Nación.

Hacia la "Operación Éxito"

Enfrascado en los tramos finales de la Segunda Guerra Mundial, los Estados Unidos, a pesar de tener estacionados en Guatemala efectivos militares y aviones, no prestaron demasiada atención a los sucesos cotidianos en ese país donde se sucedían los clásicos y tradicionales golpes y contragolpes de Estado.

En julio de 1944, tropas guatemaltecas ocuparon la Cámara de Diputados y forzaron la designación del general Federico Ponce como presidente provisional. A pesar de esta manifestación de poderío militar, sería éste el último eslabón de una larga cadena dictatorial. Comenzó por entonces a crecer la figura del Dr. Juan José Arévalo, un docente exiliado que ocupaba una cátedra de pedagogía en la universidad argentina de Tucumán.

Paralelamente, un joven capitán del Ejército, Jacobo Arbenz Guzmán, iniciaba un trabajo político en las Fuerzas Armadas para ganar adeptos a la democracia, y las facciones comenzaban a balancearse dentro de ellas.

Luego, Federico Ponce no pudo resistir a las fuerzas encabezadas por Arbenz, entregó el poder y el país fue convocado a elecciones. El 15 de marzo de 1945, el mencionado catedrático Juan José Arévalo asumía la Presidencia de Guatemala con el 85% de los votos, dando comienzo a un capítulo intenso de la historia de ese país.

No fue tarea fácil para Arévalo conducir los intereses del Estado. En Guatemala estaba enraizada la costumbre de que todo se decidía según los deseos de las compañías norteamericanas y los latifundistas guatemaltecos. A pesar de ello, durante su presidencia hubo avances en el campo de la salud, la lucha contra el analfabetismo y en especial, en el ámbito de la legislación laboral. Arévalo promulgó un Código de Trabajo, legalizó tanto el derecho de huelga —hasta entonces penado como delito— como las actividades mismas de los sindicatos, y sentó las bases para una reforma agraria.

En abril de 1951, el doctor Arévalo fue sucedido por el coronel Jacobo Arbenz, quien en junio de 1952 firmó la promulgación de la Ley de Reforma Agraria, tratada parlamentariamente con ajuste a la ley. Fue entonces que en Washington se encendieron las luces de alarma.

Para entender lo que significaba esa decisión del Parlamento guatemalteco, donde Arbenz contaba a su favor con 51 de los 53 diputados, basta señalar que la *United Fruit Co.*, en cuyo directorio figuraba el Secretario de Estado John Foster Dulles, tenía en explotación en Centroamérica un total de 550.000 hectáreas, que representaban el 25% del total del área cultivable de la región. Solamente en Guatemala, la compañía norteamericana tenía en su poder 250.000 hectáreas, contando plantaciones y terrenos sin cultivar. Sus ganancias eran descomunales, y el precio del banano en el mercado multiplicaba un 900% los costos de producción.

La concentración en la tenencia de la tierra explica claramente el impacto que tuvo la decisión de Arbenz de avanzar en la redistribución agraria. Es más: el proceso de concentración era tan grande que el 78% de la tierra cultivable estaba en manos del 2% de la población, mientras que el 98% de los trabajadores agrícolas disponían del 22% de las tierras cultivables.

Una de las primeras medidas de Arbenz fue expropiar a la compañía frutera 84.000 hectáreas no cultivadas, y pagarle las mismas con bonos agrarios a un plazo de 25 años, con un interés del 3% anual, operatoria toda garantizada por el Estado.

La respuesta no se hizo esperar. El embajador norteamericano en Guatemala, John Peurifoy, hizo declaraciones a la revista *Time*, en la que anticipaba que se tomarían todas las medidas para impedir a la Unión Soviética "asentarse entre Texas y el Canal de Panamá". Estaban abiertas las hostilidades.

No sólo desde el ámbito diplomático venían los embates. Spruille Braden, un ex embajador en la Argentina que había tenido una seria disputa con Juan Domingo Perón, en una conferencia académica en marzo de 1953 llamaba lisa y llanamente a una intervención armada de la Casa Blanca, porque a su juicio "una Guatemala comunista constituía un peligro para la seguridad de los Estados Unidos".

Mientras tanto, Allen Dulles, desde el cuartel de la CIA comenzaba a poner en práctica el plan secreto para derrocar a Jacobo Arbenz.

Viejos y futuros hábitos

En la página oficial de la CIA en Internet: *www.foia.cia.gov/guatemala.asp*, pueden consultarse los 5.120 documentos desclasificados en mayo de 2003, redactados por la propia Agencia, sobre la operación encubierta que derrocó al presidente Arbenz el 27 de junio de 1954. Aquí sólo haremos mención sumaria de la misma, pero recomendamos al lector interesado se adentre en los mecanismos de esta acción, tan "ejemplar" por sus características propias como por sus secuelas.

En principio la CIA había ofrecido que la operación fuera comandada por un oficial de prestigio, Kim Roosevelt, quien llegaba a Washington con los laureles que le otorgaba haber sido el jefe del golpe que repuso en el trono al Sha de Irán, previo derrocamiento de Muhammad Mossadeg. Pero el mencionado Roosevelt no aceptó.

Allen Dulles no perdió tiempo y el 9 de diciembre de 1953 aprobó la anticipadamente denominada Operación Éxito, dotándola de un presupuesto de 3.000.000 de dólares, con el objetivo de allanarle el camino para la toma del poder al coronel guatemalteco Carlos Castillo Armas. Como jefe de operaciones la CIA dispuso al coronel Al Haney, y Tracy Barnes fue designado como responsable de la guerra política. El nombre de Tracy Barnes volvería a aparecer tiempo después, durante el episodio de la Bahía de los Cochinos.

Vale la pena detenerse en varios aspectos de la experiencia guatemalteca, pues algunos de sus pasos se repetirán en Cuba, ámbito geográfico fundamental de estas páginas.

La situación de Castillo Armas no era fácil. El militar comandaba un grupo de centenares de rebeldes que debían enfrentar a más de 5.000 efectivos leales del ejército guatemalteco. Esa relación de fuerzas convenció al mando de la CIA de que sólo un ataque militar directo de fuerzas norteamericanas podía debilitar la posición de Arbenz, sólida en el conjunto de sus camaradas de las fuerzas armadas.

Pero había que considerar todos los aspectos conducentes al logro del objetivo. A principios de mayo de 1954 y ya en marcha los detalles armados de la Operación Éxito, la CIA intensificó la guerra psicológica en Guatemala a través de una radio pirata llamada *La Voz de la Liberación*, dirigida por David Atlee Phillips, un agente contratado.

Guatemala sirvió también como un antecedente de lo que luego se convertiría casi en un rito de la CIA: la eliminación física de dirigentes políticos extranjeros. Desde el cuartel general se confeccionó una lista con los nombres de 58 guatemaltecos que debían ser asesinados. La lista incluía a funcionarios del gobierno, líderes de instituciones sospechosas de inclinaciones comunistas y en especial, según dice el documento desclasificado:

"...individuos en puestos claves del gobierno y el ejército, cuya eliminación resulta obligatoria para el éxito de la acción militar por razones psicológicas, organizativas o de otra índole".

Los golpistas encabezados por Castillo Armas acordaron con la CIA que los asesinatos se producirían en las primeras horas luego del triunfo. La decisión debía mostrar claramente y sin dobleces, cuáles eran las intenciones de los rebeldes.

Pero hay algo más, también arquetípico, a partir de la experiencia guatemalteca. Los jefes de la CIA inventarían acerca de su operación una historia no coincidente en absoluto con la realidad.

Una vez logrado su objetivo y según los jefes que habían diseñado y ejecutado la acción, se montó la ficción de que ésta había sido una verdadera obra maestra de inteligencia y efectividad. Pero de acuerdo a los testimonios objetivos de distintos participantes, el golpe había triunfado por la colosal fuerza de la agresión norteamericana y merced a una gran dosis de suerte.

La CIA inventó una versión oficial, que fue la que le brindó a Eisenhower. El Presidente quedó impactado al enterarse de que Castillo Armas había perdido "un solo hombre". ¿Era necesaria tal tergiversación? Lo cierto es que eso informó la Agencia, cuando en realidad más de cuarenta agresores habían muerto durante la invasión.

Como dijimos, esa reunión con el Presidente marcó un hito. A partir de allí, las historias inventadas por la CIA, que jugaban como tapaderas de acciones encubiertas, pasarían a formar parte del bagaje político de la Agencia, que no se sentía obligada a observar todas las reglas éticas del espíritu republicano. Ello incluía mentirle descaradamente al propio Presidente de la Nación, para proteger la imagen del servicio de inteligencia.

Con el derrocamiento de Arbenz, en Washington se consolidó la ilusión de que la CIA, manipulando distintas variables, podía derrocar cuando y donde quisiera a un gobierno extranjero. La perspectiva era muy atractiva.

Esa ilusión llevó a Estados Unidos, durante más de cuatro décadas, a encabezar distintas aventuras en América Latina.

La mayor de las Antillas

Mientras que en el cuartel general de la CIA, a mediados del año 1953, se iban ajustando los detalles para la invasión militar a Guatemala, en Cuba, jóvenes liderados por el abogado Fidel Castro se organizaban para lo que creían iba a ser un eslabón decisivo en el derrocamiento de Fulgencio Batista, entronizado en el poder un año atrás a través de un golpe palaciego.

El objetivo elegido por los rebeldes fue el Cuartel Moncada, la segunda fortaleza militar del país, ubicada en la zona oriental de Cuba, en la ciudad de Santiago. El propio Fidel Castro le contaría luego los detalles de sus planes al periodista Ignacio Ramonet:

"La misión de mi grupo era tomar la jefatura del cuartel, y aquello hubiera sido fácil. Dondequiera que enviamos a la gente se tomó todo por sorpresa; una sorpresa total. El día que habíamos escogido, el 26 de julio, era de gran importancia, porque las fiestas de Santiago son el 25 de julio, día de carnaval".

Pero factores diversos, muchos de ellos imponderables, hicieron fracasar la operación. A pesar de la derrota, ese intento fue la chispa inicial para el derrocamiento del dictador, acaecido poco más de cinco años después.

La gesta de los rebeldes siguió en el exilio mexicano, y fructificó luego en el célebre y azaroso viaje del yate *Granma*. Después vinieron el desembarco y la legendaria lucha de los "barbudos" en Sierra Maestra.

Las noticias que llegaban desde Cuba comenzaron a inquietar a Washington. Fulgencio Batista junto con la familia Somoza, en Nicaragua, y Rafael Trujillo, en la República Dominicana, formaban un sólido terceto que aseguraba los intereses de Estados Unidos en la región. Estaban frescos aún los sobresaltos generados por la experiencia de Jacobo Arbenz en Guatemala. Ni los funcionarios ni los lúcidos hombres de la inteligencia podían dejarse sorprender.

Varios temas se pusieron en la mesa de análisis. ¿Quiénes eran aquellos pilosos jóvenes que luchaban en las montañas? ¿Qué capacidad real tenía el fiel Batista para derrotarlos, más allá de lo que él manifestara? ¿Hasta dónde podían seguir involucrándose abiertamente los Estados Unidos en el sostén político del mismo y en la ayuda militar?

El futuro de Cuba no les podía ser indiferente. El volumen de las inversiones norteamericanas en el país llegaba a 1.000 millones de dólares, una cifra considerable teniendo en cuenta que el total de América Latina era de 8.000 millones. Cuba era un paraíso a pocas millas de las costas norteamericanas, y nadie quería perderlo.

A medida que pasaban los días desde el desembarco del *Granma* el 2 de diciembre de 1956, las noticias que iban llegando desde Cuba eran analizadas con mucho detenimiento en las oficinas de la CIA. La información no era homogénea. Mientras algunos despachos hablaban de que los guerrilleros estaban en plena desbandada, otros resaltaban los datos de un ejército oficial desmoralizado. Se entrecruzaban así más o menos fundadas informaciones de inteligencia con especulaciones y, en la mayoría de los casos, con textos escritos al desgano y sólo para justificar un trabajo y un sueldo. En realidad, el material que llegaba a la CIA, según historiadores de la Agencia, no era en general fruto de un serio trabajo de inteligencia, sino un cúmulo de rumores que los informantes escuchaban mientras disfrutaban de reuniones sociales en el Club de Campo de La Habana.

Para muestra de ello, es interesante referir lo que cita el periodista cubano Luis Báez en su libro *El mérito es estar vivo*. Howard Hunt, un veterano oficial de la CIA que ganaría notoriedad posteriormente por el caso *Watergate*, cuenta en sus memorias los detalles de la primera noticia sobre la muerte de Fidel que recibieron los americanos.

"En diciembre de 1956 celebrábamos en La Habana la reunión anual de jefes de delegación de la CIA en países de América Latina. En el momento en que me encontraba con el embajador norteamericano Arthur Gardner, le avisaron a éste de una importante llamada telefónica. Al regresar dijo que Batista acababa de comunicarle que una embarcación a bordo de la cual se hallaban revolucionarios cubanos, había sido hundida en aguas de la provincia de Oriente, y que los pocos supervivientes fueron dispersados por el ejército y la fuerza aérea. El embajador también reveló que el jefe de este grupo expedicionario era un antiguo agitador estudiantil de la universidad de La Habana llamado Fidel Castro, que se encontraba entre los muertos. Gardner propuso a continuación un brindis por la muerte de Fidel".

La desmentida más rotunda a esa información llegó un año después, desde las páginas del *New York Times*:

"Fidel Castro, el líder rebelde de la juventud cubana, está vivo y peleando con éxito en la intrincada Sierra Maestra, en el extremo sur de la isla. El presidente Fulgencio Batista tiene la crema y nata de su ejército en la región, pero hasta ahora está en desventaja en la batalla por vencer al más peligroso enemigo que jamás haya enfrentado, en su larga y azarosa carrera como regidor de los destinos cubanos".

Ese era el comienzo del reportaje de Herbert Matthews, realizado en la Sierra Maestra en febrero de 1957. Faltaban todavía casi dos años para el derrocamiento de Batista. Faustino Pérez, el dirigente revolucionario que tuvo la responsabilidad de subir a Matthews a Sierra Maestra, fue el mismo que encabezó el grupo del Movimiento 26 de Julio que un año después, en febrero de 1958, secuestrara al argentino Juan Manuel Fangio, famoso campeón mundial de automovilismo, en el Hotel Lincoln de La Habana. El corredor había llegado a la capital cubana para participar en un Gran Premio, y su notoriedad garantizaba la trascendencia del hecho.

¿Qué hacemos con Cuba?

Allen Dulles, el jefe de la CIA, comenzó a desconfiar de los informes que recibía y decidió enviar a uno de sus hombres de confianza para recoger impresiones en el terreno y elaborar un testimonio confidencial con apreciaciones certeras, las que eran cada vez más necesarias. En la propia Agencia había comenzado un debate, por entonces sólo en voz baja, sobre si era oportuno o no continuar apoyando a Batista, que hasta el momento seguía recibiendo un generoso apoyo político, económico y militar.

El enviado de la CIA recibió de parte de Batista y sus jefes militares un panorama optimista. Según ellos, los rebeldes estaban rodeados y tenían los días contados. La situación estaba por demás controlada.

Desde la embajada norteamericana en la isla la visión era más o menos similar. A su criterio, sólo hacía falta que la Casa Blanca enviara más ayuda militar y los especialistas en contrainsurgencia que había prometido.

Pero no eran de la misma opinión los dirigentes políticos y sociales que no comulgaban con Batista. Según ellos, los rebeldes tenían posibilidades de triunfar y era necesario que los Estados Unidos se desembarazasen rápidamente del dictador.

Esta contradicción en las opiniones hizo que el Inspector General de la CIA, Lyman Kirkpatrick –el enviado especial–, requiriese la opinión de un agente veterano, David Atlee Phillips, que encubría sus actividades de espionaje como responsable de una agencia de relaciones públicas en La Habana.

Phillips, que acreditaba su experiencia en la Operación Éxito en Guatemala, fue rotundo en sus opiniones. Batista no estaba capacitado para controlar a los rebeldes y era necesario que los Estados Unidos tomaran inmediata y prudente distancia del régimen. La idea era dar el salto oportuno y pasar a apoyar a una oposición política que fuese compatible con los intereses de Washington.

Para analizar este período, es importante tener en cuenta el trabajo del profesor David Barret, quien descubrió un texto de la CIA que debería haber permanecido aún hoy oculto bajo el sello *Top Secret*. El académico lo descubrió en los Archivos Nacionales de los Estados Unidos, y optó por subirlo a la web, publicándolo en el sitio de la Universidad Villanova, de Filadelfia.

En total, el documento insume 295 páginas escritas en los años 70, e incluye tanto la transcripción de documentos secretos como las valoraciones que de la crisis hicieron algunos de sus protagonistas. El texto base pertenece a un oficial de la CIA, de nombre Jack Pfeiffer. Según este archivo, en 1957 resultaba claro que los días de Batista en el poder estaban contados. Entre los informes reseñados, aparece uno de un alto oficial de la CIA que apoyaba una transferencia pacífica del poder del dictador a un sucesor democráticamente elegido, y una amnistía para Castro y los demás rebeldes. A principios de 1958, la CIA ya estaba muy preocupada por lo que consideraba la orientación pro comunista de las fuerzas insurgentes.

En diciembre de 1958, representantes norteamericanos visitaron La Habana para proponerle a Batista su dimisión, y que nombrara a una junta militar que debería llamar a elecciones. Pero cebado en el poder, Batista se opuso.

Siempre según el texto de Jack Pfeiffer, un representante del arzobispo de La Habana propuso al cónsul norteamericano en Santiago que los Estados Unidos entablaran discretas negociaciones con Castro. Y la oficina de la CIA en Cuba apoyó la idea. Se dice además que en la última semana de diciembre de 1958, Eisenhower comenzó a interesarse, por primera vez, en la situación de Cuba.

Hasta aquí, escuetamente, la información secreta que viera la luz por mérito del profesor Barret. De ella puede inferirse que a fines de 1958, casi en la antesala del triunfo revolucionario, en la Casa Blanca habían decidido tomar cartas en el asunto.

El intento inicial

En nuestro diálogo sobre las "joyas" de la CIA, Fabián Escalante me había subrayado que el primer atentado contra Fidel se organizó cuando todavía se luchaba en Sierra Maestra. Cuando volvimos a conversar sobre el tema le pedí precisiones.

"Por supuesto que los documentos oficiales olvidaron este hecho. La intentona en esa oportunidad corrió por cuenta del FBI, que había reclutado a un piloto de la armada, Alan Robert Nye, para infiltrarse en los grupos de cubanos emigrados que conspiraban contra Batista. El FBI le armó una leyenda para presentarse ante los cubanos en el exilio, quienes se entusiasmaron con la posibilidad de bombardear objetivos militares en la isla. Para el proyecto llegaron a comprar aviones a hélice, que luego fueron incendiados por el propio Nye, quien atribuyó el sabotaje a agentes de Batista. Tiempo después, [Nye] fue presentado por el FBI al cónsul del gobierno cubano en Miami. Éste le explicó que lo habían asignado para una misión importante en Cuba".

Escalante me detalló con precisión todos los pasos que recorrió luego Nye en Cuba, un país al que casi no conocía y al que llegó a mediados de noviembre de 1958. La idea parecía simple. Debía infiltrarse en las filas rebeldes, donde expondría sus antecedentes, entre ellos el plan de bombardeos desde La Florida. Los jefes militares batistianos que lo recibieron en el aeropuerto le aseguraron, ya alojado en el hotel Comodoro, que todo estaba meditado y planificado al detalle. Su misión sería protegida por un comando del ejército. Y lo más importante, además, ya estaba previsto y acordado: le depositarían 50.000 dólares en su cuenta bancaria personal, apenas se confirmara el asesinato de Fidel Castro. Una vez más, es invalorable el testimonio de Escalante:

"Coco, te puedo detallar todo paso por paso. Los preparativos se hicieron en el campamento militar de Columbia, donde a Nye le presentaron al coronel Manuel García Cáceres, jefe de la plaza militar de Holguín. El 20 de diciembre, Nye llegó a Holguín y desde allí, con la protección de una escuadra de soldados, se infiltró en una localidad cercana a la zona de operaciones del Ejército Rebelde. Esa misma noche, Nye ocultó un fusil y un revólver que le habían provisto".

Lo cierto es que ya al día siguiente, el espía comenzó con su plan. Pero a las pocas horas una patrulla rebelde lo detuvo. Nye les contó sus deseos de unirse a ellos y de conocer a Fidel Castro.

Los barbudos no le prestaron mucha atención y lo confinaron a un campamento donde descansaban los heridos. Le dijeron, simplemente, que su petición sería atendida más adelante. Nye no se mostró ansioso, ya que su tarea no tenía un plazo cierto. Pensaba para sí mismo que cuando le contaran a Fidel Castro de su interés, el líder guerrillero lo llamaría y allí se presentaría la preciada oportunidad que aguardaba. Pero de pronto todo cambió.

El triunfo de la Revolución, el 1º de enero de 1959, halló al conspirador en plena Sierra Maestra, y su sorpresa fue total. ¡Nadie le había mencionado siquiera esa posibilidad! Nye trató de no desesperarse. No había pruebas en su contra. Y siempre estaba el recurso de pedir ayuda a la embajada estadounidense.

"Aunque eran los primeros días de la Revolución –me subraya Escalante–, comenzaba a funcionar un sistema de vigilancia para desenmascarar cualquier intento del enemigo. Éramos conscientes de que había que extremar los cuidados. Con Nye se actuó con mucha prudencia. Quince días después del triunfo de la Revolución, fue trasladado a La Habana para investigaciones de rutina. Allí él cometió el primer error cuando señaló al hotel Comodoro como el sitio de su alojamiento en la capital. El libro de pasajeros del hotel no mencionaba su registro. Se había inscripto con un nombre falso: G. Collins. Además se encontró una pista demoledora: sus gastos los había pagado el coronel Carlos Tabernilla, jefe de la fuerza aérea de Batista. Con estos elementos a la vista, Nye no pudo seguir fingiendo. Confesó los planes y quiénes eran sus autores. Tres meses después, Nye fue juzgado y sancionado por los tribunales revolucionarios. Fue entregado a la embajada de los Estados Unidos y expulsado de Cuba".

Con detalles precisos, algunos poco o nada conocidos, el hombre de la inteligencia cubana me describió así el primer intento de asesinato de Fidel Castro, en el que había participado el FBI, una dependencia del Gobierno de los Estados Unidos.

Se había puesto en marcha un mecanismo que persistiría más de cuarenta años con un continuo y fundamental objetivo: asesinar a Fidel Castro.

Capítulo 3
APUNTEN... ¡FUEGO!

"El liderazgo es el arte de conseguir que otra persona
haga algo que quieres hacer porque quiere hacerlo".

Dwight Eisenhower

El 1° de enero de 1959, Fidel Castro entró victorioso en Santiago de Cuba al mando de su columna del Ejército Rebelde.
Por una extraña paradoja, ese mismo día Richard Bisell asumía
como jefe del servicio clandestino de la CIA. Sin saberlo en ese
momento, Cuba y su líder se convertirían para el espía norteamericano en un obsesivo desafío, y en los responsables de todas
sus derrotas.

En la Agencia, a Bisell se lo conocía como *Dick*, y era un res-
petado académico que ostentaba el clásico curriculum de la
CIA en la década del 50: primero la tradicional y prestigiosa
escuela de Groton, fundada en 1884 por el Reverendo Endicott
Peabody; luego la Universidad de Yale y la Facultad de Derecho
de Harvard.

Bisell además había trabajado con el embajador Averell
Harriman en el diseño y administración para el Plan Marshall
en Europa. En ese tiempo comenzaron sus contactos con la
Oficina de Servicios Estratégicos, antecesora de la CIA.

Su legajo profesional atrajo a los responsables de la Agencia,
y en 1954 fue ubicado al frente del proyecto del avión espía U2,
uno de sus logros y también de sus dolores de cabeza.

Fanático de la eficiencia, apenas asumido su cargo pretendió
dotar a la organización con recursos humanos de jerarquía, y lo
primero que hizo fue pedir a sus colaboradores más cercanos
que identificaran a los empleados de calidad inferior y los des-
pidieran. El nuevo funcionario tenía una meta concreta: la CIA
debía convertirse en una espada de ataque y no ser un mero
escudo protector contra el avance soviético; debía ser una parte

vital del poder estadounidense, tanto o más importante que el arsenal nuclear. También el objetivo Cuba entraba dentro de esos proyectos ambiciosos.

La invasión del "Chivo"

La caída de Batista tuvo amplias repercusiones en América Latina y en especial en el Caribe. El primero en reaccionar fue el dictador dominicano Rafael Leónidas Trujillo, también conocido como "Chapita" —ya que amaba las condecoraciones y medallas— o "El Chivo". Éste vio en el caso cubano un pésimo antecedente para su propio futuro político, y rápido de reflejos, reunió a su estado mayor para analizar medidas urgentes. No tenía muchas dudas sobre lo que había que hacer para curarse en salud: organizar un ejército mercenario e invadir Cuba.

Mientras Trujillo comenzaba a diseñar su estrategia recibió a un huésped obligado, pero de consulta indispensable para cualquier plan contra Cuba. Fulgencio Batista, después de su derrocamiento, había decidido afincarse en Santo Domingo.

En la primera conversación, ambos se pusieron de acuerdo en todo. Batista fue rotundo en una cuestión, que por cierto tuvo el inmediato aval del militar dominicano: el plan de invasión a Cuba debía incluir la eliminación física de Fidel Castro.

Mientras Trujillo aprestaba la logística de la invasión, Fulgencio Batista se dedicó a hacer lo suyo. Buscó en su agenda un apellido de confianza en la letra M. Allí estaba. ¡Claro! ¡Quién si no Rolando!

Sin dilación, Batista llamó a Miami y le confió a una persona de su íntima confianza el manejo de la operación que podría ser decisiva para el retorno de ambos a Cuba. Había que asesinar a Fidel.

Rolando Masferrer era un hombre de acción, y de continuos vaivenes ideológicos y políticos. Había combatido en la Guerra Civil española en las Brigadas Internacionales, apoyando a las fuerzas republicanas. Y sin hallar en ello contradicción alguna (o sin que la misma le pesara), años después, durante el régimen de Batista, desarrolló en Cuba una agrupación paramilitar conocida como "Los Tigres de Masferrer", que sembró el terror en sectores campesinos y populares opuestos al régimen.

Ahora, desde Santo Domingo, su socio de tropelías le encomendaba una tarea de primer orden, digna de su eficiencia. Masferrer aceptó halagado y se abocó a los preparativos. Recurrió a hombres de su confianza y les encomendó que se infiltraran clandestinamente en Cuba y planearan el atentado.

El sitio elegido para el magnicidio fue las cercanías del Palacio Presidencial. Pero el gobierno cubano estuvo al tanto del operativo desde el principio y, si bien dos de los complotados pudieron huir, el Departamento de Investigaciones del Ejército Rebelde (DIER) logró ocupar la casa donde se diseñó el atentado e incautó información importante sobre el frustrado asesinato. Material de archivo del DIER fechado en marzo de 1959 señala que a finales de ese mes:

"Obdulio Piedra y Navi Ferrás, alias "El Morito", dos connotados masferreristas, después de penetrar ilegalmente en el país, se encontraron con colaboradores del ex ministro batistiano Ernesto de la Fe, actualmente encarcelado por sus pasados delitos".

Más adelante, el documento señala:

"En las siguientes reuniones que se dieron entre los recién llegados y varios contrarrevolucionarios, nuestro agente no pudo conocer el objetivo de la infiltración, razón por la que decidimos no detenerlos por un tiempo".

El periódico *Revolución*, órgano del Movimiento 26 de Julio, informaría sobre los hechos en pocas líneas:

"El 26 de marzo fue descubierto por las autoridades policiales un plan de atentado contra el Comandante Fidel Castro, dirigido por Rolando Masferrer y Ernesto de la Fe, dos connotados batistianos...".

Paralelamente a los movimientos de Batista respecto del atentado personal, Rafael Trujillo continuaba con su tarea para la invasión armada. Sólo le faltaba conocer, y no era un dato menor, qué opinión generaría en Washington su idea. Para ello le cursó indicaciones precisas al cónsul dominicano en Miami. Tenía que indagar de primera mano qué pensaban el Departamento de Estado y la CIA de los planes que él estaba gestando.

La respuesta fue excelente. La plana mayor de la CIA escuchó con atención al diplomático dominicano y consideró que valía la pena conversar directamente con Trujillo. Para ello decidió que volara a Santo Domingo alguien que pudiese sopesar la seriedad del proyecto.

Infiltradores infiltrados

El hombre elegido por la Agencia para viajar a tierra dominicana fue Gerry Droller, que usaba el alias de Frank Bender. Veterano de la Segunda Guerra Mundial, después de haber trabajado para la CIA en Suiza, Alemania y en Taiwán con las tropas de Chiang Kai Shek, Bender había comenzado su etapa latinoamericana participando activamente en el derrocamiento de Arbenz. Y si bien no podía exhibir por ello muchas medallas como las que le gustaban a Trujillo, sus antecedentes no eran para nada desdeñables.

Cuando el enviado norteamericano llegó a entrevistarse con el dictador dominicano, los planes de éste ya estaban muy adelantados; incluso ya le habían asignado un nombre al grupo invasor: Legión del Caribe. En la constitución de esta fuerza confluían mercenarios llegados desde distintos lugares, y ex militares del régimen de Batista.

Después de una reunión con Trujillo y Johnny Abbes García, jefe del servicio de inteligencia local, Frank Bender tuvo un amplio panorama de la situación y se despidió sonriendo.

Luego, haciendo tintinear un hielo en su vaso de whisky repasó lo hablado y reafirmó sus conclusiones favorables. El proyecto era interesante. Los Estados Unidos no tenían que incidir ni participar activamente en los hechos; sólo no debían interponerse. Frente a cualquier contratiempo, sus compatriotas podrían negar todo conocimiento previo. Era el escenario ideal, para en caso de ser necesario dar curso a una frase que sonaba grata a oídos de la CIA: "la negación plausible".

El veterano hombre de la Agencia se permitió luego darles a los conjurados un solo consejo. En paralelo con su invasión, debía realizarse un trabajo político en el interior de Cuba, lograr un alzamiento y poder argumentar en consecuencia que había notorio descontento en el seno de la población, e incluso dentro de las mismas fuerzas revolucionarias. Una ola de sabotajes y asesinatos dejarían en claro que en Cuba había caos y que debía intervenir la OEA.

Lo que Bender no les dijo fue que la CIA ya tenía apuntados los nombres para esa tarea.

El plan consistía en incorporar al proyecto trujillista a algunos miembros del denominado "II Frente del Escambray", que después del triunfo revolucionario habían quedado relegados en el Ejército Rebelde y no habían recibido, a su juicio, las prebendas que merecían. A ellos se les sumarían militantes de la organización "La rosa blanca", fundada en los Estados Unidos por Rafael Díaz Balart, un ex ministro de Batista que mantenía en territorio cubano una presencia irregular a través de células dispersas.

La conspiración trujillista falló, pero no por falta de recursos, sino porque los incipientes servicios de seguridad del gobierno cubano lograron desactivarla. Y Fabián Escalante me confió años después:

"Para el gobierno revolucionario que comenzaba a construir los cimiento de la seguridad del Estado, desactivar la invasión de Trujillo fue un gran logro y, al mismo tiempo, una experiencia importante, de la cual se rescataron muchas enseñanzas. El propio Fidel tomó cartas en el asunto y personalmente dio las órdenes para penetrar la conspiración. Quizás sirva señalar, entre tantos, un dato interesante. Ricardo Velazco Ordóñez, un sacerdote español, llegó a La Habana para supervisar los preparativos del alzamiento de los sectores descontentos del Ejército Rebelde. La seguridad cubana aprovechó esta circunstancia y le infiltró al cura un agente como chofer y guardaespaldas. A partir de allí el trabajo fue mucho más fácil".

La agencia de prensa *United Press* transmitía informaciones filtradas por grupos anticastristas, en las que se hacían referencias a distintos alzamientos militares contra el gobierno revolucionario. En Santo Domingo, Trujillo estaba eufórico y brindaba por adelantado.

El 13 de agosto un avión sobrevoló Cuba. Llevaba a bordo mercenarios que llegaban para dar los toques finales a la conspiración. El grupo lo encabezaba Luis del Pozo, hijo del ex alcalde de La Habana en los tiempos de Batista. Pero cuando se dirigieron al aeropuerto de la ciudad de Trinidad, para bosquejar el ataque final, todos fueron arrestados.

Al día siguiente, Fidel Castro desde la televisión nacional contó uno por uno los detalles de la (otra más) operación fallida. En esa ocasión señaló con claridad a los culpables:

"Trujillo es un *gangster* por la libre, sostenido por la OEA".

Los verdaderos rostros

La situación en Cuba, vista con ojos norteamericanos, se complicaba. Cada vez quedaba más claro que el gobierno revolucionario avanzaba en cambios de fondo, que beneficiaban de inmediato al pueblo cubano todo y principalmente a los sectores populares, tal como lo habían prometido los rebeldes desde un principio, y que contaban con gran adhesión y generaban una innegable cohesión nacional. Y eso... no era bueno.

Como parte de esa escalada de medidas oficiales, fueron intervenidas empresas de servicios públicos, se rebajaron los alquileres urbanos y se inició un plan nacional de construcciones de viviendas y edificios escolares; se rebajaron los precios de los libros de texto, se redujo el costo de los medicamentos... Y todo a un ritmo veloz.

El 17 de mayo de 1959 se promulgó la Ley de Reforma Agraria, a través de la cual se entregaron más de 100.000 títulos de propiedad a los campesinos. Al mismo tiempo, a los antiguos propietarios les fueron entregados bonos del Estado a 20 años, con un interés del 4,5% anual.

En junio del mismo año y tras poco más de seis meses de mandato luego del triunfo revolucionario, resignó la Presidencia de la Nación Manuel Urrutia Lleó. Como juez y defensor de los derechos cívicos, Urrutia había enfrentado a Batista, y el 3 de enero había asumido como el primer presidente provisional de la nueva etapa, con cuyos nada tímidos postulados socialistas no comulgaba del todo. Con su salida se desvanecieron en gran parte las esperanzas de quienes aspiraban a imponer, desde el seno mismo del gobierno, una política conservadora.

A ello se le sumó el fracaso de la invasión organizada por Trujillo y, como dijimos, la adhesión popular a medidas que venían a poner freno a desajustes e injusticias que en Cuba ya se consideraban endémicas.

Así y en la práctica, se ponía un cierre a las especulaciones sobre quiénes eran los barbudos de Sierra Maestra. El propio Eisenhower reconoce en sus memorias que, aunque los expertos de inteligencia no tenían una opinión homogénea...

"...los acontecimientos les fueron llevando poco a poco a la conclusión de que con la llegada de Castro, los comunistas habían penetrado en este hemisferio".

A partir de esos días, el escenario de la confrontación con el gobierno cubano quedó dividido en dos: uno desarrollado en territorio cubano y otro en el exterior, en especial en Miami. En tierra cubana comenzó a estructurarse por entonces una oposición que reconocía diversos sectores sociales, en especial la clase media, la Iglesia, desertores y descontentos provenientes de las propias filas revolucionarias.

La base de la CIA en La Habana recibió por entonces órdenes desde el cuartel general de apurar los contactos en el interior de Cuba y activar planes para cortar de raíz el proceso revolucionario. Los movimientos de la oposición se desarrollaban en distintas direcciones y, en general, levantaban la consigna de que la Revolución había sido traicionada y entregada a los comunistas.

En el marco de esta confrontación, el 19 de octubre de 1959 tuvo lugar el levantamiento de Huber Mattos.

Astillas del mismo palo

Huber Mattos había nacido en Yara, Cuba, en el año 1917. Fue maestro en Manzanillo y dueño, antes de la Revolución, de un pequeño arrozal. Fue opositor de Batista y viajó a Costa Rica, donde reunió hombres y recursos para la lucha que se desarrollaba en la Sierra Maestra. Tuvo el privilegio de ser uno de los contados oficiales que en las filas del Ejército Rebelde participaron en toda la etapa de la guerra entre 1956 y 1959. Instaurado el gobierno revolucionario, fue nombrado Comandante del Ejército en la provincia de Camagüey. Cuando a mediados de julio de 1959 se produjo la dimisión de Urrutia y su reemplazo por Osvaldo Dorticós Torrado, Huber Mattos envió una carta de renuncia. Castro, que había sido como él militante del viejo Partido Ortodoxo, lo convenció de que siguiera en su tarea.

Lo cierto es que meses después de aquella primera medida de descontento, Mattos se acuarteló con su tropa y presentó su renuncia pública aduciendo la infiltración comunista en el gobierno. Fidel Castro le ordenó entonces a Camilo Cienfuegos rendir a las fuerzas sublevadas, objetivo que éste consiguió después de enfrentar personalmente a Mattos. Mientras esto sucedía, un exiliado cubano en Miami y antiguo jefe de la Fuerza Aérea llamado Pedro Luis Díaz Lanz (volveremos a él por una acción previa), lanzaba desde el aire panfletos sobre La Habana llamando a "depurar" el gobierno.

Díaz había sido incluso piloto personal de Fidel Castro, pero era evidente que el peso y la dirección de las medidas de gobierno iban decantando las posiciones de todos los que inicialmente se habían opuesto a Batista.

La detención de Huber Mattos significó un quiebre en el proceso político cubano. Apenas derrotado el levantamiento militar, Fidel Castro explicó los pormenores del enfrentamiento y ratificó el rumbo de la Revolución. Se desvanecían así, para algunos sectores, las ilusiones de rectificar el proceso abierto en enero de 1959, utilizando fuerzas que originalmente habían adherido al derrocamiento de la dictadura.

Entretanto la Iglesia Católica, que en Cuba tenía una presencia notoria de curas falangistas españoles, comenzaba una tarea de confrontación que culminaría tiempo después en el llamado "Operativo Peter Pan", llevado a cabo entre el 26 de diciembre de 1960 y el 22 de octubre de 1962.

La Tierra del Nunca Jamás

Pretextando que el gobierno quitaría la patria potestad a sus padres, en el mencionado lapso fueron enviados fuera de Cuba, en lo fundamental a Miami, más de 15.000 niños, muchos de los cuales nunca más se reencontraron con su familia. Al tratarse de niños, la noticia del operativo tuvo gran repercusión. No es difícil ver detrás de ella el largo brazo de la CIA y el objetivo de ejercer presión y asustar sobre todo a las clases medias. Incluso, con el tiempo, han surgido voces desde el seno de esos mismos niños, que ya adultos no dudan de su traslado como fruto de una acción de inteligencia de los Estados Unidos.

Así, María de los Angeles Torres, profesora de De Paul University en Chicago, una ex *Peter Pan child*, aseguró años después al diario *Chicago Sun Times* (noticia también reproducida en Miami por *El Nuevo Herald* del domingo 14 de enero de 2001) que la Agencia se había ocupado de esparcir la noticia de que habría visas garantizadas para los niños cubanos, en riesgo de ser separados de sus padres por una medida totalitaria del gobierno. Torres lo planteaba en un trabajo de revisión del hecho a cuarenta años de sucedido.

Por supuesto, la CIA nunca admitió su intervención. Lo cierto es que en 1960, ya una radio cubana había lanzado la alarmante posibilidad de que la separación padres-hijos se efectuara. La voz apelaba sobre todo al sentimiento materno:

"Madres de Cuba. ¡No permitan que les arranquen a sus hijos! El Gobierno Revolucionario se los arrebatará al cumplir éstos sus cinco años, y los retendrá hasta que cumplan los dieciocho…".

El operativo tuvo un registro fílmico con supuestos fines documentales, *The Lost Apple* (La Manzana Perdida), una película que señalaba específicamente a Castro como una amenza interpuesta entre los lazos paterno-filiales. La profesora Torres dio a conocer algunos textos que vinculaban la realización de la película, dirigida por David Suffkind, con la provisión de fondos oficiales estadounidenses. Se apoyaba para ello en documentos internos del FBI, del Departamento de Estado e incluso otros del archivo del Senado, que fueran desclasificados en esos años.

Para redondear su investigación, Torres apeló reiteradamente a la justicia estadounidense reclamando que la CIA le permitiera acceder a unos 1500 documentos que serían reveladores, pero que "por razones de seguridad nacional" la Agencia le negaba. Sin cejar en su trabajo y en su objetivo de claridad, la misma profesora llegó a concluir:

"La lección que deberíamos aprender de esta experiencia es que las necesidades de los niños se pierden siempre dentro de las motivaciones de la política."

Cabe destacar en relación al film mencionado que la misma profesora Torres aseguró que Robert Kennedy (co-protagonista de otro capítulo del presente libro), por aquel entonces Fiscal General de los Estados Unidos, había dado su aprobación para la realización del documental que mostraba el éxodo de los niños a Miami, la "Tierra del nunca jamás" (*Never-Never Land*).

Por aquellos iniciales años de la Revolución Cubana, la actividad de los grupos opositores se multiplicaba y, en general, muchos de ellos tenían como base inicial las estructuras laicas de la Iglesia.

Mientras tanto, en el cuartel general de la CIA, primaba el convencimiento de que Trujillo y Huber Mattos habían fracasado por errores en la planificación de las acciones. Ahora todo cambiaría, cuando ellos tomaran el asunto directamente en sus manos. Estos nuevos tropiezos aumentaban la urgencia de encontrar vías rápidas y efectivas para terminar con el gobierno de la isla.

No quedaba otro camino que recurrir a las fuerzas nostálgicas de Batista, que se nucleaban fundamentalmente en la ciudad de Miami. Allí crecieron más de 300 organizaciones que trataban de descollar una sobre otra. Se trataba de obtener parte del dinero que Estados Unidos aportaría al derrocamiento de Fidel Castro.

Había otro objetivo por el que mutuamente estos grupos se planteaban una lucha sin cuartel: verse favorecido por Washington a la hora de tener que encabezar un futuro gobierno en la Isla.

Viejos amigos, nuevos intentos

En los Estados Unidos, desechada la posibilidad de torcer el rumbo influenciando la corriente conservadora en el gobierno, comenzaron los preparativos para que la CIA tomara el caso cubano en sus propias manos. En este camino, en diciembre de 1959, el jefe del servicio clandestino, Richard Bisell, le hace llegar a su jefe Allen Dulles un documento que no deja lugar a dudas sobre cuál es el proyecto. El texto decía puntualmente que había que considerar detenidamente la eliminación de Fidel Castro. Hasta al propio jefe de la CIA, el término "eliminación" le pareció muy similar al de asesinato. Entonces, piadosamente, Allen Dulles lo cambió por la expresión "remoción de Cuba".

Es necesario hacer notar que toda esta documentación, originalmente secreta, se conoce ahora públicamente porque en el texto hay referencias a la política oficial de los Estados Unidos sobre el asesinato de líderes extranjeros y, al parecer, fue incluido entre los documentos desclasificados a raíz de la investigación del asesinato de John Fitzgerald Kennedy.

El memorando elevado a Dulles provenía de la oficina del coronel John Caldwell King, un graduado de la academia militar de West Point que llevaba más de nueve años al frente de las acciones de la CIA en el hemisferio occidental.

J C King, como se lo conocía en la Agencia, había atesorado experiencia en Latinoamérica durante su trabajo en Argentina entre los años 1941 y 1945, y en Guatemala en los años que precedieron a la invasión que derrocó a Jacobo Arbenz.

Durante todo el período en que el movimiento revolucionario cubano comenzó a merecer la atención de su oficina, J C King se enfrentó con los personajes que él consideraba "débiles". En ese sector incluía a un grupo de políticos de Washington sumado a los "intelectuales" de la Agencia, a quienes aludía así despectivamente porque se negaban a que los Estados Unidos se involucraran directamente en el conflicto.

El mismo coronel King había sido un ardiente defensor de fortalecer el apoyo a Batista mientras luchaba contra la guerrilla de Sierra Maestra. Ahora que el demonio estaba instalado en el sitial, los acontecimientos de Cuba parecían darle la razón y consideraba que había llegado el momento de su revancha.

Por ello, King le prestaba preferente atención a todos los cables que llegaban desde La Habana. En especial llamó su atención uno enviado por Jim Noel, en el que éste le pedía que recibiese a David Morales, uno de sus hombres en la capital cubana.

J C King sabía de quién se trataba. Había sido uno de los hombres de acción que integró el grupo de tareas encargado de la eliminación de 58 guatemaltecos, quienes integraban la lista que confeccionó la CIA antes de la invasión.

Morales llevaba poco más de un año en Cuba, bajo cobertura diplomática. A pesar del poco tiempo transcurrido, había hecho muy buenos contactos y algunos de ellos tenían planes que de seguro les interesarían a sus jefes. Para trasmitirlos, voló de La Habana a Miami y de allí a Washington. Apenas llegado a la capital, el coronel King lo invitó a su oficina. Quería conocer los detalles del plan que había merecido una atención especial desde la propia estación de la capital cubana.

A pesar de su experiencia, King no dejó de sorprenderse. Su subordinado le traía un concreto esquema de acción para eliminar a Fidel Castro, que incluía los nombres de quienes serían los ejecutores.

Morales fue muy cuidadoso en resaltar que de la materia de esa charla no estaba al tanto el embajador estadounidense en Cuba. A King, veterano de acciones clandestinas, ese dato no lo inmutó. Siguieron adelante con la conversación y los detalles.

Morales explicó que su agente, Frank Sturgis, era un veterano de la Segunda Guerra Mundial que había trabado contacto con cubanos exiliados en Miami durante la dictadura de Batista. En función de esas relaciones, había trasladado armas a Cuba para las fuerzas rebeldes, lo que le había valido un prestigio importante. Escudándose en esas acciones, había aprovechado para reclutar al mencionado comandante Pedro Luis

Díaz Lanz, jefe de la Fuerza Aérea del gobierno revolucionario. Con Sturgis trabajaba también Gerry Hemmings, experto en explosivos. Los hombres parecían los acertados. El plan también. King creyó que un nuevo amanecer de gloria estaba a la vista, y escuchó los detalles de una operación que apoyaría con entusiasmo.

Otro fracaso

Pero a la postre, el tan valorado plan, huelga decirlo, falló, y en su momento no se difundieron detalles de los hechos. Lo sucedido se conoció en profundidad años después en Miami, en julio de 1977, cuando Frank Sturgis, creyendo que se estaba prestando para una entrevista periodística, en realidad le estaba contando todo a un colaborador de la inteligencia cubana.

Según su propio relato, en el mes de abril de 1959 y siendo capitán de la Fuerza Aérea, Sturgis le propuso a Morales la eliminación de Fidel Castro, frente al evidente rumbo que tomaba el gobierno. Sturgis señalaba como una de sus preocupaciones de entonces no sólo el plan de reforma agraria, sino también el anticipo del propio Díaz Lanz acerca de la futura clausura de los casinos, lo que a su juicio "arruinaría a muchos amigos del sindicato del juego".

Cuando Morales regresó desde Washington con el visto bueno del coronel King, en La Habana pusieron manos a la obra. El plan era audaz pero no imposible.

Díaz Lanz invitó a Fidel Castro a una reunión con oficiales de la Fuerza Aérea, pero Fidel no anticipó cuándo llegaría. Gerry Hemmings ya había hecho lo suyo, colocando en la sala de reuniones un explosivo que estallaría mediante un dispositivo electrónico.

Paralelamente, los complotados establecieron contactos con Huber Mattos, el jefe militar de Camagüey. La idea era que una vez eliminado Castro, Mattos se uniera para formar un gobierno provisional, que seleccionaría una personalidad civil para presidir el país.

De pronto, según contó Sturgis al supuesto periodista, se produjo el imprevisto. Un miembro de la policía militar de la aviación le confesó los temores de que el gobierno estuviese al tanto de la conspiración, lo que sería una oportunidad para darles un escarmiento a quienes conspiraban.

"Cuando conversé con Díaz Lanz –recordó Sturgis– se puso tembloroso. Allí cayó en la cuenta de por qué Fidel no iba a su despacho. A su juicio, todo estaba acabado. Hemmings retiró la bomba a pedido de Díaz Lanz, que sin decir nada se escapó a La Florida. Cuando le consulté a Morales qué hacer, me ordenó que me fuera lo más rápido posible de Cuba. No me quedó otra alternativa que robar un avión y escaparnos con Gerry".

El atentado había terminado frustrado, sin pena ni gloria. Es evidente que faltó la determinación necesaria para llevarlo hasta sus últimas consecuencias.

Pedro Luis Díaz Lanz se suicidó en Miami, de un disparo en el pecho, el 25 de junio de 2008.

Capítulo 4
¡LLAMEN A LA MAFIA!

"Cada sociedad tiene el tipo de criminal que se merece."

Robert Kennedy

El año 1960 había empezado con grandes novedades, todas positivas, para el jefe de acciones clandestinas de la CIA. Richard Bisell veía con satisfacción que cada uno de sus proyectos lograba rápida aceptación. En consecuencia, no podía dejar de pensar que el día en que Allen Dulles, quien confiaba ciegamente en él, dejara la jefatura de la CIA, su nombre estaría en primer lugar para reemplazarlo.

Con ese ánimo, en los primeros días de enero recibió el encargo de Dulles de conformar una fuerza operativa que se ocupara de derrocar a Fidel Castro. Dick pensó inmediatamente que no se podía desaprovechar la experiencia realizada en Guatemala seis años atrás, y en vista de ello se dio a armar la lista de los hombres que debían incorporarse enseguida a la tarea. Algunos de ellos ya han sido mencionados en este libro.

En la reunión concertada para afinar detalles y distribuir responsabilidades, fue designado como jefe del operativo Jack Esterline, quien había dirigido la base en Washington de la Operación Éxito contra Guatemala. Esterline había fijado su atención en Fidel Castro cuando este, poco tiempo después del triunfo revolucionario, visitó Venezuela, donde Esterline era jefe de base de la CIA. Al espía le había llamado la atención el fervor que despertaba el cubano, con su acento campechano y su figura carismática.

Otro de los elegidos era Frank Bender, quien ya tenía experiencia en el tema, fruto de su encuentro con Rafael Trujillo y sus contactos con el exilio cubano, que debía aportar hombres para la frustrada invasión organizada desde Santo Domingo.

Otro de los integrantes, David Phillips, poseía pergaminos sobrados para integrar este grupo. Había tenido una destacada participación en la invasión a Guatemala operando una radio clandestina, y atesoraba un conocimiento profundo de la sociedad cubana y de su entramado político, fruto de los años que vivió en La Habana como agente de inteligencia, encubriendo su actividad con una oficina de relaciones públicas.

William Robertson, conocido como *Rip*, era oriundo de Texas, y quizás ese lugar de nacimiento haya marcado gran parte de su carrera. Más parecido a un *cowboy* que a un político o diplomático. Robertson se había incorporado a la infantería de marina de los Estados Unidos y servido en el Pacífico durante la Segunda Guerra Mundial. A él, que también era un veterano de Guatemala, le fueron encomendadas las tareas paramilitares, lo que no dejaba de ser una reivindicación, ya que había permanecido durante un tiempo marginado de actividades importantes. Todo por su responsabilidad en un bombardeo de la CIA contra un carguero británico, al que había tomado por un navío que llevaba armas para Jacobo Arbenz. El gobierno norteamericano debió pagar por ello una fuerte indemnización al gobierno de Londres y su figura languidecía, hasta que el timbre del teléfono lo sacó de la hibernación para integrar este nuevo grupo operativo.

Para la guerra política y psicológica, Bisell eligió a Tracy Barnes con quien compartía el paso por el colegio de Groton, la Universidad de Yale y la Facultad de Derecho de Harvard. Barnes había ganado una estrella de Plata en la Segunda Guerra Mundial por la toma de una guarnición alemana. Desde entonces, había estado ligado al servicio de espionaje. A pesar de su valor personal, no tenía buen concepto en la Agencia y era famoso por una carencia: no dominaba ninguna lengua extranjera. Aún así, Barnes había sido jefe de la base de la CIA en Alemania y también en Inglaterra. En Guatemala había cumplido tareas similares a las que le encomendaron para esta nueva fuerza, que tenía como objetivo la revulsiva isla con forma de caimán.

Completaba el grupo de base Howard Hunt, a quien algunos califican como un mediocre funcionario y que aparece en todas las operaciones clandestinas de la CIA. En Guatemala, Hunt fue el responsable de la guerra política. Él mismo resumía su tarea en un documento luego desclasificado:

"Lo que queríamos era crear una campaña de terror, para atemorizar sobre todo a Arbenz, para aterrorizar a sus tropas, de modo parecido a como los bombarderos Stuka alemanes habían atemorizado a la población de Holanda, Bélgica y Polonia en los comienzos de la Segunda Guerra Mundial".

La decisión de Bisell de recurrir a hombres con la experiencia de haber derrocado a un presidente latinoamericano parecía ser acertada. No era otra cosa que trabajar con gente exitosa, que sabía lo que había que hacer. Sin embargo, Bahía de Cochinos demostraría que no era tan fácil repetir el ejemplo de Guatemala.

Mentiras y conjeturas

Tim Weiner en su libro *Legado de ceniza*, un pormenorizado estudio de la CIA, señala que los jefes habían creado un mito sobre la Operación Éxito que derrocó a Jacobo Arbenz. Lo mismo hicieron con el golpe de Estado en Irán. La versión de la Agencia era que lo de Guatemala había sido una obra maestra.

Integrantes de las fuerzas operativas reconocerían, tiempo después, que el golpe en Guatemala había triunfado en realidad gracias a la fuerza bruta y a una gran dosis de suerte. Pero la CIA inventó otra historia en el informe que le presentó a Eisenhower.

Al mismo Allen Dulles, cuando leyó el primer borrador, le pareció sin sentido y ordenó a Dave Phillips, el locutor de la radio clandestina, que cambiara totalmente el texto. Eisenhower asistió a la proyección de un audiovisual edulcorado. Y tras escuchar la versión oficial de la CIA, el presidente quedó muy complacido.

Mentirle al jefe de la Casa Blanca pasó a ser una constante de la CIA, costumbre que por cierto se mantiene hasta la actualidad. El atolladero en que se encuentran los Estados Unidos en Irak es un ejemplo elocuente de que hay continuidad entre el ayer y hoy.

Pero volvamos a aquellos días que atareaban a Bisell y sus elegidos. Marzo fue el mes en que comenzaron a acelerarse los planes. El vicepresidente Richard Nixon recibió de parte del jefe de la CIA un expediente con un título sugerente: "Qué estamos haciendo en Cuba". El documento había sido elaborado por el mismo Bisell, quien se explayaba sobre distintas acciones que abarcaban sabotajes, guerra económica y propaganda política. Nixon leyó el texto con atención y de inmediato se mostró en un todo de acuerdo con lo que se estaba haciendo.

Quince días después, la conversación fue con el presidente Eisenhower. El momento de la reunión no había sido elegido al azar. Faltaban seis meses para las elecciones en las que competirían Richard Nixon y John Fitzgerald Kennedy.

Allen Dulles y Richard Bisell le aseguraron al presidente de la Nación que el propósito no era invadir Cuba. Sólo bastaba con la formación de una oposición unificada. Sería clave en el proyecto una emisora clandestina, que emitiría información destinada a generar un levantamiento popular. En el aspecto militar la tarea era sencilla: seis cubanos serían adiestrados en Panamá y se infiltrarían en la isla. Después, la CIA les aseguraría la logística de combate.

Eisenhower, según las notas de la reunión que han sido publicadas, aseguró que le parecía un buen plan. Lo fundamental era mantenerlo en secreto. Todo el mundo debería jurar que jamás había oído hablar del tema. Y menos aun debía quedar alguna evidencia que guiara las sospechas hacia la Casa Blanca.

Por supuesto, a pesar de los dolores de cabeza que Cuba le traía a los Estados Unidos, no se descuidaba el objetivo primordial de la inteligencia norteamericana, el cual era detener cualquier posibilidad del avance soviético.

En ese camino no se descartaba ninguna herramienta. El sector de acciones clandestinas de la CIA estaba orgulloso de uno de sus mayores secretos: el desarrollo del avión espía U2. El mentor de ese proyecto era Richard Bisell, quien no lograba arrancarle al presidente Eisenhower autorización para vuelos del U2 sobre territorio soviético. Confidentes de Eisenhower aseguran que a éste le preocupaba la posibilidad de que un vuelo espía del U2 desencadenara una guerra nuclear. En varias oportunidades, Ike le había dicho a los jefes de la CIA que, para él, era más importante conocer las intenciones de los soviéticos por medio del espionaje antes que tener una serie de fotografías sobre supuestas capacidades militares.

Desde hacía varios años, la CIA le enviaba a la Casa Blanca informes alarmantes, donde le señalaba que el desarrollo de los misiles balísticos intercontinentales soviéticos era mucho más rápido y contundente que el de Estados Unidos. Después se supo que aquello no era fruto de una labor de inteligencia, sino sólo conjeturas. Pero eso no impidió que el mando aéreo estratégico dependiente del Pentágono, en base a esas mismas conjeturas, diseñase un plan para utilizar tres mil cabezas nucleares y destruir todas las ciudades e instalaciones militares que iban de Varsovia a Pekín.

El vuelo infausto

El jefe de la Casa Blanca había quedado muy entusiasmado con una reunión mantenida en 1959, en Camp David, con Nikita Kruschov, y no quería arruinar la posibilidad de un diálogo constructivo. Según la nota de tapa de la revista *Time*, en esa reunión el presidente Eisenhower se dirigió a Nikita Kruschov con un llamamiento personal:

"Usted tiene la oportunidad de hacer una gran contribución a la historia, permitiendo que se alivien las tensiones mundiales. Está en sus manos".

Después de Camp David, la Casa Blanca preparaba con entusiasmo una reunión cumbre con Kruschov a realizarse el 16 de mayo de 1960 en París. Desde Washington, se hacía hincapié en el interés de mantener deliberaciones sinceras con los soviéticos.

Richard Bisell, el "padre de la criatura", no soportaba que el U2 no pudiese recoger información desde el territorio soviético. El único que podía autorizar esos vuelos era el presidente, pero para Dick eso no debía ser un escollo.

El propio jefe de la CIA, en sus memorias, reconoce que se horrorizó cuando supo que uno de los vuelos del U2, sin que él y el presidente lo supiesen, había sobrevolado Moscú y Leningrado.

Dicho avión monoplaza y dotado de un solo motor, podía volar a gran altura, lo que le daba "relativa" seguridad ante los ataques, pero al mismo tiempo adolecía de fragilidad y no era nada sencillo de levantar vuelo, aterrizar y ser controlado en el aire. Podía tomarse a primera vista por un planeador y no obstante era capaz de cargar gran cantidad de sensores y diversas cámaras y teleobjetivos.

Orgulloso de tal prodigio, Bisell, que no se daba por vencido, discutió repetidas veces con la Casa Blanca, hasta que por fin su insistencia tuvo premio y le autorizaron un vuelo para el 9 de abril de 1960. El U2 salió desde Pakistán y según el informe final, su misión fue todo un éxito. Eso lo impulsó a continuar su tarea con nuevos bríos.

La otra fecha concedida fue el 25 de abril. Ese día factores climáticos impidieron la misión, que fue prorrogada por seis días. Pero confirmando la Ley de Murphy, lo malo que podía ocurrir, ocurrió.

El 1º de mayo de 1960, un aparato U2 fue derribado sobre el Asia Central soviética. Su piloto, Francis Gary Powers, no activó el mecanismo de autodestrucción de la nave ni la aguja para el suicidio, y fue tomado prisionero.

Resultaron vanos los intentos del Departamento de Estado, para ocultar el hecho a través de maniobras dirigidas a la opinión pública. Se quería preservar a toda costa la imagen del presidente de la Nación, que había negado cualquier relación con el hecho. Los soviéticos por su parte exhibieron públicamente los restos del avión y al piloto. La sociedad norteamericana asumió que el Jefe de Estado podía mentir. Eisenhower les confesó luego a varios periodistas que en esos días había sentido deseos de renunciar.

La cumbre URSS-Estados Unidos naufragó y el incidente con el U2 deshizo todo el deshielo que se había logrado hasta entonces en la Guerra Fría.

Pero el hecho sumó otra humillación para los Estados Unidos. El piloto Powers fue juzgado por los soviéticos y permaneció preso en la URSS durante dos años. Al fin debió ser canjeado por un espía soviético, que había sido capturado en territorio occidental.

El impacto del fracaso del U2 fue tremendo y generó un ambiente de frustración. Pero no significó inactividad en las operaciones clandestinas. Se estaba creando en el mundo una nueva situación que acaparaba la atención de los Estados Unidos y de algunos de sus principales aliados de la OTAN.

"Proyecto ZR/Rifle"

El peligro del avance del comunismo, según la óptica de los sovietólogos que ocupaban cargos de gobierno en Washington y dirigían los principales centros académicos del país, no se circunscribía sólo al territorio europeo, sino que se expandía por Asia y África.

En Asia, a principios de 1950 y con la excepción de Indochina, que sería después el teatro de la derrota más catastrófica para la Casa Blanca, el proceso de descolonización estaba ya completado. En ese marco histórico se desarrollaban en la región una serie de movimientos populares que proponían consignas revolucionarias, en especial referidas a la nacionalización de los recursos naturales. Ya la CIA debió actuar en Irán para no perder posiciones en la explotación y comercialización del petróleo y reponer al Sha en el trono. Los problemas se multiplicaban: en Egipto, con la irrupción de los Oficiales Libres, liderados por Gamal Abdel Nasser; y en Irak y Siria se derrumbaban regímenes que mantenían una relación de semi dependencia con Occidente.

Francia e Inglaterra en alianza con Israel habían fallado en liquidar a Nasser, durante la batalla del Canal de Suez en 1956. Mientras tanto, Francia se oponía con fiereza a los intentos independentistas argelinos. El caso de la guerra de liberación de Argelia causaba un alto impacto en la opinión pública mundial, que conoció con horror que allí estaba institucionalizada la tortura en la policía, en el ejército y en las fuerzas de seguridad. En ese marco de lucha política, cayó en Francia lo que se conocía como la Cuarta República. Pero no todo terminaba allí.

En el cuartel de la CIA, en el Departamento de Estado y en el Pentágono comenzaba a tomar cuerpo la preocupación sobre la situación imperante en varios países de África. Se hablaba cada día más del Congo y de Patrice Lumumba.

A través de los documentos secretos ahora desclasificados y conocidos como "Las joyas de la CIA", puede seguirse en forma cronológica y con todos los detalles, el operativo que culminó con el asesinato del líder congoleño.

En febrero de 1960, Eisenhower escuchó atentamente las recomendaciones del Comité 5412, que él mismo había formado para aprobar todas las operaciones secretas de la inteligencia norteamericana. Hasta ese momento era la propia CIA, con autorización de su director, la que diseñaba, aprobaba y ejecutaba lo que se conocía en el lenguaje de la Agencia como "operaciones altamente volátiles".

Con la creación del Comité 5412, Eisenhower pretendió controlar directamente desde su despacho todas las operaciones clandestinas. Este Comité dependía exclusivamente del presidente de los Estados Unidos, por lo cual, a partir de entonces sería difícil alegar desconocimiento por parte del jefe de Estado.

Allen Dulles, el titular de la CIA, fue muy directo, casi brutal, en su informe al Comité: Lumumba era un ser insano, que podría poner en serio peligro esa zona de África si entregaba su país a los soviéticos.

El poder de persuasión de Dulles fue instantáneo y total. Apenas terminó de exponer su informe, Ike le ordenó a la CIA preparar una "acción ejecutiva", que debería llevarse a cabo sólo cuando lo autorizase expresamente la Casa Blanca.

"Acción ejecutiva" no era sino un eufemismo para denominar las operaciones destinadas al derrocamiento de mandatarios extranjeros, e incluso al asesinato de éstos.

Richard Bisell regresó a su despacho y le envió un cable cifrado a su hombre en el Congo. Decía escuetamente: "Está autorizado a proceder con la operación". A Patrice Lumumba le habían firmado su sentencia de muerte.

¿Pero quién era aquel demonio negro e insano que alarmaba a la nación más poderosa del mundo?

Patrice Émery Lumumba había nacido en 1925. Este líder anticolonialista y nacionalista congolés fue el primero en ocupar el cargo de Primer Ministro de la República Democrática del Congo entre junio y septiembre de 1960. Había recibido una formación esmerada, de corte europeo, y por sus méritos obtuvo reconocimientos académicos que los belgas sólo reservaban a una ínfima porción de la población negra. Creador del Movimiento Nacional Congolés en 1958, sufrió persecución y cárcel. Sus valientes discursos respecto de los excesos cometidos por los belgas fueron famosos. Una vez en el cargo africanizó el ejército nacional, que seguía en manos de los belgas. La provincia de Katanga, rica en recursos mineros, se declaró independiente con el apoyo belga. Lumumba fue destituido por un golpe de Estado y, durante un tiempo, custodiado por la ONU. El congolés había cometido un "pecado" intolerable. Había aceptado apoyo de la Unión Soviética cuando, con indiferencia, Occidente veía cómo se fraguaba un golpe y se traicionaba la voluntad democrática del pueblo congoleño. Por el contrario, la CIA y el gobierno belga dieron apoyo financiero y técnico a los golpistas, además de proveerles armas.

Lumumba fue ejecutado el 17 de enero de 1961 por fuerzas congoleñas, pero con la presencia física de agentes belgas y norteamericanos. El responsable local de la "acción ejecutiva", esta vez fue Frank Carlucci. Este político y hombre de negocios llegó a ser Consejero de Seguridad Nacional de EE.UU. entre 1986 y 1987, y Secretario de Defensa de 1987 a 1989. Su itinerario educativo es el previsible: se enroló como oficial de la Armada e ingresó luego a la Universidad de Harvard, para, después entrar al *Foreign Service*. Era un hombre hábil como enlace entre los servicios de inteligencia y las delegaciones diplomáticas. Para la época del asesinato de Lumumba, su cargo oficial era el de subsecretario de la Embajada estadounidense. Su nombre volvería a sonar en destinos como Tanzania o Brasil, allí donde se necesitara de sus eficientes servicios. Lumumba se convirtió en el primer objetivo del proyecto clandestino ZR/Rifle, a través del cual el asesinato de líderes extranjeros sería una de las herramientas de la política exterior de los Estados Unidos.

En noviembre de 1975, el Comité del Senado para las actividades de inteligencia, presidido por el senador demócrata por Idaho, Frank Church, dictaminó:

"Según documentos públicos, funcionarios de los Estados Unidos habrían ordenado el asesinato de Patrice Lumumba y de Fidel Castro, y habrían estado involucrados en contra de otros tres líderes extranjeros: Rafael Trujillo, de la República Dominicana; Ngo Dinh Diem de Vietnam del Sur y el general René Schneider, de Chile".

El denominado Informe Church señaló también que cuatro de estos hombres, con la excepción de Fidel Castro, habían sido asesinados.

Tres días después de la muerte de Lumumba, Dwight Eisenhower le traspasaba el mando del país a John Fitzgerald Kennedy, y junto a las llaves de la Casa Blanca, le entregaba también la agenda de las operaciones encubiertas de la CIA que ya estaban en marcha, y que abrían el camino a las que se organizarían bajo la nueva administración.

Contacto en Nueva York

A mediados de 1960 se producía un nervioso ir y venir entre las oficinas de la CIA y la Casa Blanca. Los mapas que se desplegaban en el Salón Oval mostraban preocupantes señales rojas en distintos puntos de Asia, África y el Caribe.

El incidente con los soviéticos por el avión espía U2 había generado rabia y rostros serios. Era necesario pues, producir un cambio de humor en corto tiempo. La sección de tareas clandestinas sabía que tenía, más que nunca, una gran responsabilidad, y su jefe era el más consciente de ello.

En este complejo escenario internacional, no puede decirse con exactitud cuándo Eisenhower dio luz verde a los intentos de asesinato de Fidel Castro. El historiador de la CIA, Eric Fratini, cree que puede tomarse como fecha clave los primeros días de junio de 1960, cuando el prominente dirigente soviético Anastas Mikoyan negoció en Cuba un pacto de cooperación La Habana-Moscú. Ése fue un momento decisivo, a partir del cual al presidente Eisenhower y al jefe de la CIA Allen Dulles no les quedaron dudas sobre la necesidad de eliminar al líder cubano.

Todas las mañanas, Richard Bisell repasaba los informes de sus colaboradores, que abarcaban los cinco continentes. Pero su idea fija seguía siendo Cuba. Por aquellos días, leyó con mucha atención el documento que informaba sobre los últimos avances de la base de la CIA que, con el nombre clave de Onda, operaba en La Florida. Todo parecía marchar según lo planificado. Pero Dick no era hombre de jugar todo a una sola carta y finalmente tomó una decisión, sobre la que venía meditando desde hacía algún tiempo.

Estaba seguro de que para su nuevo proyecto, el hombre indicado era Sheffield Edwards, un individuo proveniente del Pentágono con experiencia en inteligencia. Allá había alcanzado el grado de coronel. Después de esos años en la Secretaría de Defensa, Edwards se había incorporado a la CIA como jefe de la Oficina de Seguridad. Su misión allí era proteger los secretos de la Agencia.

Cuando Richard Bisell lo citó a su oficina, Sheffield Edwards creyó que se trataba de otra reunión de rutina. Recogió todos los informes que le podían interesar a su jefe y llegó con puntualidad, pensando que en pocos minutos quedaría libre.

La primera sorpresa que se llevó el coronel fue escuchar de boca de Bisell un pormenorizado informe sobre acciones clandestinas que se desarrollaban en Cuba. Lo que escuchaba no le era totalmente ajeno, pero desconocía el tema en profundidad, porque la Isla formaba parte de un operativo compartimentado y sólo accesible a un pequeño grupo, que él no integraba.

La segunda sorpresa llegó cuando su jefe le comunicó qué esperaba de él. Quería que se contactara con elementos de la mafia. Su nombre no había sido escogido al azar. Dentro de las tareas que Edwards desarrollaba para resguardar a la CIA, había un plan muy reservado en cuyo marco la Agencia mantenía sólidas relaciones con lo que se conocía como el Sindicato del Juego Organizado. La intención era que sus miembros, si resultaba necesario, realizasen "trabajos sucios" en los que el servicio de inteligencia no podía involucrarse.

No era sin embargo la primera vez que la CIA recurría a la mafia. Como ya fue citado en este libro, a finales de la Segunda Guerra Mundial, la inteligencia norteamericana liberó de la prisión a *Lucky* Luciano para que ejerciera de enlace con la Cosa Nostra en Sicilia, el territorio elegido para el desembarco de las tropas norteamericanas en el sur de Italia.

El tercer impacto lo recibió Edwards cuando le comunicaron, sin muchos rodeos, que el objetivo de contactarse con la mafia era la eliminación de Fidel Castro.

La parte final de la reunión consistió en un intercambio de opiniones sobre las herramientas de las que podía disponer Edwards para consumar el asesinato. Así, fue notificado sobre los avances de la Agencia en el plano de experimentos con elementos químicos, más precisamente: con venenos que no dejaban huellas. El diligente coronel tomó nota y se retiró a su despacho.

Ya a solas, Edwards repasó todos los detalles. Su primera decisión fue no desestimar ninguna de las posibilidades que se abrían. Tanto servían un veneno como un tiroteo con varios participantes, sin descartar tampoco la tarea de un francotirador.

De lo que se trataba ahora era de establecer el contacto con el Sindicato. No había por qué improvisar y también Jim O'Conell fue convocado por Bisell. Jim se desempeñaba como jefe de la Oficina de Apoyo Operativo, la sección con la que se encubrían los contactos con la mafia. O'Conell recibió el preciso encargo de Bisell y prometió novedades lo más pronto posible.

Después de conversar con O'Conell, Sheffield Edwards hizo caso a una sugerencia de Bisell y se comunicó con Sydney Gottlieb, quien lideraba la División de Servicios Técnicos de la CIA, donde entre otras cuestiones se investigaban y desarrollaban los agentes químicos letales.

Gottlieb, cuyo nombre real era Joseph Schneider, se había licenciado en Química con todos los honores en la Universidad de Wisconsin, en 1940, doctorándose diez años después en el Instituto Tecnológico de California. Ese mismo año, mientras vivía en el campus universitario, había sido reclutado por la CIA.

Poco a poco el doctor Gottlieb fue ganándose un nombre y un prestigio en la inteligencia norteamericana. En su laboratorio, conocido también como la Casa de los Horrores, se diseñaban y desarrollaban desde la década del 50 los venenos que podían servir tanto para asesinar a un espía enemigo como a un jefe de Estado que no era del agrado de la Casa Blanca. Gottlieb no se limitaba a los venenos. Él fue el responsable de las llamadas operaciones *MKUltra* y *MKSearch*, en las cuales se experimentaba con drogas, entre ellas el LSD, para intentar controlar la mente de los enemigos.

Gottlieb fue el niño mimado de varios jefes de la CIA. Su estrella declinó para entrar definitivamente en desgracia cuando en 1973, sus inventos de muerte fueron revelados por las "Joyas de la Familia".

Mientras Edwards repasaba con asombro la cantidad de posibilidades que le había sugerido Gottlieb para eliminar a Castro, su subordinado O'Conell se ponía en marcha para contactarse con la mafia. Y pensó mucho antes de telefonear a Nueva York.

El hombre indicado era Robert Maheu, un ex agente del FBI que en su época de investigador privado había hecho numerosos trabajos encargados por la Agencia. Esos años de secretos y acciones encubiertas le habían facilitado innumerables contactos, que ahora utilizaba para desempeñarse como jefe de relaciones públicas del excéntrico millonario Howard Hughes, cuya personalidad sería luego encarnada por Leonardo Di Caprio en el film "El aviador", dirigido por Martin Scorsese.

La entrevista entre O'Conell y Maheu se dio en la misma y cosmopolita Nueva York. Allí Maheu se enteró de la misión que tendría por delante, la que no le pareció ni extraña ni imposible. Tenía experiencia en esos trabajos. Una vez puestos de acuerdo sobre el objetivo, la primera cuestión que abordaron fue repasar una decena de nombres que podían ser los ejecutores de la misión. En esta tarea, el que tenía la última palabra era Maheu, porque poseía los necesarios y afinados contactos. En poco más de una hora, surgieron los elegidos: John Roselli y Santos Traficante.

Maheu dio una rápida explicación del porqué de estos nombres. John Roselli era uno de los hombres de confianza de Sam Giancana, el jefe mafioso de Chicago, quien seguramente tenía buenos y confiables amigos en La Florida, donde estaba el grueso de los cubanos exilados, que estaban impacientes por librarse de Fidel Castro. Santos Traficante tenía un doble valor agregado: desarrollaba sus actividades mafiosas en Miami y tenía un encono particular con Castro, quien le había interrumpido sus negocios en Cuba. No había entonces dudas sobre la elección.

A partir de esta sencilla reunión en un departamento de Nueva York, comenzó a anudarse una estrecha relación entre la CIA y la mafia, que se mantuvo durante varios años y a la que algunos investigadores le asignan una importancia decisiva en el asesinato de John Kennedy.

Capítulo 5
DÍAS DE TRANSICIÓN

A las complejidades imaginables cuando se diseña una operación encubierta ambiciosa, como la que estaba en marcha para derrocar/eliminar a Fidel Castro, en esta oportunidad se les agregaba un condimento de la política interna de los Estados Unidos. Se aproximaban las elecciones en las cuales debía elegirse al sucesor de Dwight Eisenhower.

Tanto Richard Nixon como John F. Kennedy tenían la percepción de que temas de la política exterior iban a ser importantes en la campaña electoral. Y en ella, no iba a estar ausente Cuba.

En los primeros meses de la década del 60, la Guerra Fría que enfrentaba a Estados Unidos y la Unión Soviética, acompañado cada uno de ellos por un bloque político-militar de varios países que conformaban la OTAN y el Tratado de Varsovia, parecía haber entrado en un período caracterizado por la distensión.

Después de los años turbulentos del desafío nuclear y la guerra de Corea, la muerte de Stalin y el ascenso de Nikita Kruschov marcaban un nuevo tiempo. El doloroso incidente del avión espía U2 había tirado por la borda algunos proyectos, pero no había interrumpido la marcha de la distensión.

Eran momentos de avances y retrocesos. Y el escenario resultaba complejo. En Washington preocupaban la rápida descolonización de territorios en Asia y África, la situación de Berlín y la posibilidad de que se consolidara y fortaleciera el gobierno cubano.

En Moscú, comenzaban a inquietar los roces con el gobierno de China, que veía con malos ojos el acercamiento de Kruschov a la Casa Blanca.

En este marco de desconfianzas y riesgos entrevistos, nadie quería resignar posiciones ni dar pasos en falso.

A medida que se acercaban los comicios de noviembre, Richard Nixon, que mantenía un diálogo fluido y constante con agentes de la CIA, se fue formando la opinión de que la Agencia no estaba en condiciones operativas propicias para llevar adelante el proyecto cubano. Y esta conclusión no era fruto de una mera especulación personal.

Un informe confidencial fue primero la señal de alarma y luego la piedra de convicción para el vicepresidente y candidato del Partido Republicano a la presidencia.

En los días finales de septiembre, había fracasado estrepitosamente un intento de aprovisionamiento aéreo destinado a un grupo que operaba dentro de Cuba. Las armas habían sido recogidas por fuerzas leales al gobierno y los hombres en contacto con la Agencia habían resultado detenidos. No había un balance positivo de ese tipo de incursiones aéreas, que en general despegaban de Guatemala. Un recuento preliminar indicaba que de treinta acciones, solamente tres de ellas habían sido exitosas. No era buen promedio.

Ese informe, a poco más de treinta días de las elecciones, hizo que Richard Nixon tomara una drástica decisión. Ordenó que se suspendiese inmediatamente todo movimiento de la CIA hasta después del acto electoral. De conocerse, la operación encubierta (más la serie de fracasos y el costo que ellos significaban) podría generar un escándalo en la opinión pública, y un golpe muy duro para las aspiraciones presidenciales de Nixon.

Errores, sorderas y cambios de planes

Los fracasos no sólo impactaron al candidato. En el seno de la CIA y en el núcleo principal del sector de operaciones clandestinas, comenzó a desvanecerse la idea de que era posible derrocar a Fidel Castro con la organización de una fuerza opositora en el interior de la Isla.

En esta situación, los responsables del proyecto Cuba cayeron en la cuenta de que no le habían prestado suficiente atención a lo que ocurría realmente en el interior del país. Meses atrás habían encargado un sondeo de opinión pública, pero como los resultados no encajaban con las previsiones de la Agencia, habían sido desechados.

Es interesante el testimonio que aporta Howard Hunt en su libro *Give us this day*, un texto publicado en 1973, en el que describe su participación en la invasión a Bahía de los Cochinos.

Hunt había sido destinado a la base Onda de la CIA en Miami, con el seudónimo de Eduardo. Y según su propio relato, había llegado a La Habana a principios de marzo de 1960, alojándose en el hotel Vedado. A Hunt le había llamado la atención que mujeres y niñas, con ropas militares, desfilaran dando vivas a Fidel. El autor describe también las medidas de seguridad que reinaban en la capital cubana, e incluso cuenta un proceso de detención que presenció personalmente.

Hunt estuvo poco tiempo en Cuba, volvió a La Florida y de allí a Washington, donde redactó un informe con sus impresiones. A pedido de sus superiores, enumeró cuatro recomendaciones:

+ Asesinar a Fidel Castro antes o coincidentemente con la invasión.

+ Destruir las emisoras de radio.

+ Destruir el sistema de transmisión de microondas justo antes del comienzo de la invasión.

+ Desechar cualquier pensamiento de levantamiento popular contra Castro, hasta que el asunto estuviera militarmente decidido.

Pero sus recomendaciones no coincidían con el informe optimista que Richard Bisell le había presentado a Eisenhower, según el cual un puñado de cubanos, adiestrados en Panamá e infiltrados en Cuba, desatarían una rebelión popular y Castro no soportaría más de ocho meses en el gobierno.

De a poco, Bisell se fue sincerando con Richard Nixon, con quien tenía un trato directo.

Le confió que ya no serían unos pocos cubanos, sino que pensaba seriamente en quinientos hombres entrenados. Del plan original también era necesario cambiar el lugar de adiestramiento, porque la selva de Panamá no ofrecía condiciones apropiadas para tantos hombres. Con estas previsiones, Bisell le había encomendado al jefe del proyecto, Jack Esterline, que viajara a Guatemala para convencer al presidente Miguel Ydígoras Fuentes, un general retirado, de que prestara su apoyo.

No fue ésta una misión difícil. Guatemala se convirtió en el principal campo de entrenamiento para lo que sería el desembarco en Bahía de Cochinos. Mucho más amplio que las instalaciones en Panamá, no resultó sin embargo del agrado de los cubanos reclutados por la CIA, que se sentían como en un campo de concentración.

Un despliegue tan importante de combatientes, sumado a la logística, no podía pasar desapercibido para las fuerzas armadas guatemaltecas. Según Tim Weiner, el periodista del *New York Times* especializado en temas de inteligencia, la presencia de los cubanos estuvo a punto de provocar un golpe militar contra el presidente. Como una gran paradoja de la historia, en su visita oficial a La Habana en febrero de 2009 el presidente de Guatemala Álvaro Colom expresó públicamente que fue un error histórico de su país haberse prestado como base de entrenamiento para el proyecto de la CIA, y pidió perdón al pueblo cubano.

Richard Bisell sabía que cargaba una dura responsabilidad. En una reunión privada con el presidente Eisenhower y el jefe de la Agencia, había conseguido un refuerzo presupuestario de más de 10 millones de dólares, para el entrenamiento de los paramilitares acantonados en Guatemala.

A pesar de su apoyo, todo indica que Eisenhower, con gran experiencia militar, era cauto en cuanto a la invasión. Quería que la diplomacia y la propia CIA le diesen garantías de triunfo. Nunca atendió, al parecer, los requerimientos de Bisell de conformar una fuerza militar norteamericana que liderase en la batalla a la brigada cubana de desembarco.

Ike, que había sido el gran responsable del *Día D* en Normandía, la mayor operación de desembarco de la Historia y un monumental despliegue militar que fue manejado con gran secreto, insistía en no hacer movimientos en falso. Él sabía que, ya con bronce asegurado, podía aun pasar a la Historia arrastrando un gran fracaso.

A medida que se acercaban las elecciones, en los altos mandos de la CIA se veía cada vez con más claridad que la operación contra Cuba, tal cual estaba programada, era inviable. Pero nadie lo manifestaba. Todos seguían agitando las banderas de la victoria y engañando tanto al presidente Eisenhower como a los cubanos que se entrenaban en Guatemala.

Quienes manejaban el conjunto de la información, Richard Bisell y el jefe del operativo, Jack Esterline, ya habían llegado hacía tiempo a la desalentadora conclusión de que los quinientos cubanos entrenados en Guatemala no tenían ninguna posibilidad de victoria frente a las fuerzas armadas revolucionarias, que no sólo los superaban en número sino también en motivación de combate.

Los sueños de la subversión interna estaban acabados. La seguridad cubana había ido desarticulando cada uno de los intentos de reagruparse iniciados por las fuerzas que conspiraban contra el gobierno. Comenzaba a rodar la sospecha de que la mayoría de los grupos que recibían ayuda desde Miami e incluso logística a través de la CIA, estaban infiltrados por la contrainteligencia cubana. Los intentos fallaban uno tras otro y la desconfianza se profundizaba.

En este escenario, Richard Bisell llegó a una conclusión: Castro podría ser derrocado sólo si Estados Unidos enviaba a los marines.

Las presiones se multiplicaban a medida que se acercaba el día de las elecciones. Y el exceso de tensión colapsó el proyecto.

Richard Bisell seguía dialogando con dos interlocutores a la vez: por una parte, con los responsables de la Casa Blanca, y por otra, con los asesinos que se preparaban para dar el golpe mortal a Fidel Castro.

Momo, Santos y sus amigos

Volvamos a los contactos de la Agencia con el crimen organizado. La discreta reunión en Nueva York entre Jim O'Conell y Robert Maheu comenzó poco a poco a dar sus frutos. Maheu declararía años más tarde que en ese momento tomó conciencia de que se estaba convirtiendo en el nexo de unión entre dos poderosos ejércitos: por un lado la CIA y por el otro la mafia.

JOSÉ ANDRÉS LÓPEZ

Desde el inicio de sus gestiones, Robert Maheu consideró que participar en el asesinato de Fidel Castro era una cuestión de patriotismo. Y así pensaba decírselo a los hombres de la mafia. El primer paso fue reunirse con Johnny Roselli, el representante de la familia de Chicago en la costa oeste. Como ya adelantamos, el fluido contacto de Roselli con Sam Giancana había sido el elemento determinante para la elección de su nombre, al que la CIA prestó acuerdo de inmediato.

Roselli, como la gran mayoría de los miembros mafiosos, había nacido en Italia. Llegó a los Estados Unidos con sólo seis años y, desde pequeño, su padrastro lo había ido introduciendo en el mundo del crimen. A los diecisiete años, de Nueva York pasó a Chicago y se unió al grupo de Al Capone.

Quienes han estudiado el desarrollo de la mafia en la costa oeste, coinciden en que Roselli fue escalando posiciones merced a su inteligencia. Poco a poco los negocios mafiosos de la región fueron pasando todos por sus manos. Roselli se fue convirtiendo prácticamente en el representante de Chicago para el negocio de los casinos en Las Vegas.

Con el tiempo, asegura Eric Fratini, autor de *Mafia S.A. Cien años de Cosa Nostra*, a Roselli se lo empezó a conocer como "El enterrador", debido a que cuando la familia de Chicago quería hacer desaparecer a alguien, se comunicaba con él en persona, y éste sepultaba al personaje molesto en el desierto de Nevada.

Ya en la década del 30, con el auge de la industria cinematográfica, comenzó a desarrollarse una veta muy provechosa para los negocios de la mafia. Roselli fue uno de los encargados de recaudaciones millonarias, surgidas como producto de extorsiones a las grandes productoras, a los sindicatos e incluso, de manera personal, a las estrellas del cine.

Un dato interesante que señala Eric Fratini en su investigación es que Zeppo Marx, integrante del famoso grupo humorístico de los Hermanos Marx, era el responsable de los casinos clandestinos, en los cuales jugaban las estrellas de Hollywood. Y Zeppo, siempre según Fratini, era recaudador de Roselli.

Con estos antecedentes, se generó una contradicción objetiva entre el FBI y la CIA. Para el FBI, Roselli era simplemente un mafioso, responsable al menos de más de treinta crímenes. Para la CIA era un individuo culto y refinado, con las conexiones adecuadas para ejecutar el asesinato de Fidel Castro.

A mediados de septiembre de 1960, Robert Maheu llamó a Jim O'Conell, su contacto en la CIA, y le confirmó el éxito de sus primeras gestiones. Roselli quería una reunión secreta tripartita, que finalmente se realizó en un hotel de Nueva York. Los dos ejércitos comenzaban a operar conjuntamente.

Después de una explicación muy concreta sobre lo que la Agencia quería de él, Roselli sacó a relucir su vena patriótica y aceptó, aclarando que no lo hacía por dinero. O'Conell aceptó sorprendido, y según documentos desclasificados, se convirtió en el efectivo contacto de la CIA con Roselli hasta mayo de 1962.

Ya plenamente en funciones y orgulloso de haber sido seleccionado para una tarea de tanta importancia, Johnny Roselli comenzó a diseñar sus próximos pasos. El primero de ellos fue invitar a Maheu a Miami, donde le presentaría a dos amigos. A pesar de su experiencia, Maheu no pudo dejar de sorprenderse cuando se sentó a la mesa con Sam *Momo* Giancana, el padrino de Chicago, y Santos Traficante, el jefe mafioso de La Florida. Allí llegó a la gratificante conclusión de que la elección inicial de Roselli había sido todo un acierto.

Esa mesa expresaba nuevamente las contradicciones entre dos agencias federales de los Estados Unidos. Mientras la CIA los consideraba sus socios, Giancana y Traficante integraban la lista de los diez objetivos más importantes del FBI.

Si bien la pertenencia a la mafia los unía, Giancana y Traficante tenían motivos diferenciados para participar de la conspiración. *Momo* pensaba que la aceptación del encargo de la CIA disminuiría la presión de los agentes federales que investigaban sus negocios ilícitos. Lo de Traficante corría por un andarivel separado.

Desde antes de la Revolución, Santos era un viajero frecuente a La Habana, hasta que a mediados de 1955 decidió instalarse definitivamente en esa ciudad. Como inicio de sus actividades comerciales abrió el casino Sans Souci, y participó en el paquete accionario de los hoteles Comodoro y Deauville. Por cierto, tampoco el contrabando fue ajeno a su gestión de negocios.

Es interesante que la propia policía de Batista hubiera fijado sus ojos en Traficante y lo haya convertido en un objetivo a vigilar. En un informe de la época, se señalaba que Santos y su hermano Henry habían violado la ley de juego en los Estados Unidos. Por ese motivo habían sido acusados ante la Justicia, en la cual sumaban los antecedentes de haber sido sentenciados a cinco años de prisión por el delito de soborno e infracción a la ley de loterías. Para corroborar sus afirmaciones, el informe policial acompañaba un recorte del periódico *The Miami Herald*. Pero con el tiempo, Santos Traficante se fue convirtiendo en el actor principal de los casinos de La Habana.

Tras su instauración, el gobierno revolucionario comenzó a investigar con otros ojos los negocios de este personaje. Días después de haberme relatado la detención de Traficante en el hotel Riviera, comentario con el cual iniciara este libro, Fabián Escalante me contó detalladamente cómo se había llegado a esa situación:

"Nuestras investigaciones tomaron como base lo actuado incluso por la propia policía de Batista y decidimos profundizarla. Traficante tenía arrestos en los años 1953 y 1954 en Tampa, en los Estados Unidos. Constatamos que en noviembre de 1957 había asistido en Nueva York al gran consejo de la mafia, donde entre otras cuestiones se analizó la importancia de las ganancias del juego en los casinos de La Habana. Los capos mafiosos definieron y pusieron límites a las regiones. La Habana quedó comprendida en la circunscripción este de la mafia norteamericana".

Con esos elementos, Traficante fue detenido por el gobierno revolucionario el 11 de junio de 1959, e internado en un campamento para extranjeros indeseables. Pero fue liberado dos meses después, porque las autoridades de los Estados Unidos no reclamaron su extradición. Y agregó Escalante:

"Traficante creyó que el nuevo gobierno cubano era un ensayo pasajero, y trató de seguir con sus negocios como si nada hubiese pasado en Cuba. En enero de 1960, como ya te dije, lo arrestamos en el Riviera en compañía de su guardaespaldas, Herminio Díaz García, y fue expulsado definitivamente del país".

Era evidente que la participación de Santos en el complot para asesinar a Fidel, se convertía en una posibilidad de venganza personal, y sumaba la expectativa de recuperar suculentos negocios perdidos.

Variantes para un crimen

Richard Bisell comenzó a entusiasmarse por los avances que le transmitía su subordinado Sheffield Edwards en relación a los contactos con la mafia. Mientras monitoreaba con preocupación los preparativos para la invasión de la brigada cubana, trataba de convencerse de que Fidel Castro sería asesinado antes de que la tropa adiestrada en Guatemala pusiese los pies en la Isla.

Un momento propicio para dar el golpe parecía ser el viaje de Castro a Estados Unidos en septiembre de 1960, para su participación en la Asamblea General de las Naciones Unidas. El informe de la Comisión Church del Senado de los Estados Unidos reconoce que días antes de la llegada del líder cubano, hubo una reunión de jefes mafiosos con el contacto de la CIA, en el hotel Plaza de Nueva York.

La comisión senatorial revela que el jefe de policía de la ciudad, Michael Murphy, quien tenía la responsabilidad de la seguridad de Castro, en una recorrida de control se encontró con un oficial de la CIA, quien le confió una historia preocupante. La Agencia tenía previsto colocar una caja de habanos al alcance de Fidel y cuando éste intentara fumarse uno, el habano explotaría y le volaría la cabeza. Al principio, según refiere el texto, el oficial de policía tomó en broma el comentario. Pero luego arbitró las pertinentes medidas de seguridad, porque entendió que el hombre de la CIA hablaba en serio.

En paralelo, la mafia elegía el Central Park de Nueva York para el atentado. Giancana llamó a John Martino, quien poseía los pergaminos de haber sido uno de los hombres de confianza en el casino del famoso Hotel Nacional de La Habana. Sus conocimientos de electrónica le habían permitido especializarse en máquinas de juego, que eran preparadas para optimizar las ganancias de los propietarios.

John Martino disfrutaba de una vida espléndida en Cuba, pero el triunfo de la Revolución, como a tantos otros, le complicó la vida. Una de sus principales tareas después del 1º de enero de 1959 fue poner a salvo el dinero de la mafia, estableciendo un puente marítimo entre Cuba y los Estados Unidos. Ocupado en esos menesteres fue detenido en agosto de 1959 y liberado después de pagar una fuerte fianza. De La Habana, Martino voló a Miami, donde encontró campo propicio para seguir conspirando contra el gobierno que le había privado de una existencia apacible.

Un dato relevante que aporta la documentación de la seguridad cubana, es que uno de los correos que tenía la misión de poner a salvo la fortuna de los mafiosos era Jack Ruby, años más tarde el asesino, frente a las cámaras de TV, de Lee Harvey Oswald, presunto matador de John Kennedy. Y el nombre de John Martino aparecería también repetidas veces en la investigación sobre el asesinato del ex presidente de los Estados Unidos.

Lo cierto es que *Momo* Giancana llamó a Martino, le confió los planes y desplegó una precisa agenda con los movimientos de Fidel. Entonces hubo una rápida decisión.

El encargado de organizar el atentado fue Walter Martino, hermano de John, quien colocó una fuerte carga de explosivos bajo la tribuna que utilizaría el orador. El artefacto sin embargo no logró detonar, porque la propia policía neoyorquina sorprendió a Walter y dispuso su arresto.

El intento fallido no desanimó a Giancana y sus amigos, que decidieron designar a Richard Cain como nuevo hombre clave para llevar a cabo la misión de asesinar a Fidel.

Cain había ingresado, a sugerencia de Giancana, en el Departamento de policía de Chicago, donde ejercía el papel de nexo de la mafia con los oficiales de la institución policial y era el encargado de efectuar el pago de los sobornos.

Cain conocía Cuba y hablaba algo de español, pues durante la dictadura de Batista había instalado equipos de escuchas telefónicas para clientes de una empresa de seguridad norteamericana. Ahora la tarea era esencialmente distinta. Había que eliminar a Fidel.

Giancana le pidió a su amigo Traficante un contacto en La Habana, y éste no dudó en apuntarle el nombre de Eufemio Fernández, un antiguo socio suyo en el cabaret Sans Souci. Con esta referencia, Cain voló a La Habana, se alojó en el Hotel Riviera y telefoneó de inmediato a Fernández. El enviado de la mafia no quedó contento con la primera entrevista, pues Fernández prácticamente desestimó la idea de un atentado a través de un tirador solitario.

De cualquier manera, decidieron reunirse nuevamente, y en esa oportunidad Fernández llegó en compañía de Herminio Díaz, el ex guardaespaldas de Traficante. Se volvió a analizar la posibilidad de un atentado mediante un automóvil en marcha, desde donde se dispararía directamente sobre Castro. Los contactos cubanos insistieron en resaltar las evidentes dificultades. Las razones expuestas eran varias, pero sobresalían dos: era muy difícil conocer los movimientos del blanco, y la seguridad de Fidel era efectiva e incorruptible.

En consecuencia, Cain se fue de La Habana con las manos vacías. En un párrafo del informe de la Comisión Church, se hace mención del intento fallido de Cain, cuando el texto señala:

"La Agencia había considerado primero un asesinato de tipo gangsteril, en el cual Castro sería tiroteado. Se dice que Giancana se opuso manifiestamente a la idea, aduciendo que sería difícil reclutar a alguien para ejecutar una operación tan peligrosa, sugiriendo entonces el empleo del veneno".

Misión imposible

La mafia no era la única carta. Los hombres de Bisell que no estaban al tanto del trato con el sindicato del crimen, desarrollaban sus propios planes para eliminar al líder cubano.

Las tentativas se aceleraron a medida que se estimaba que de un momento a otro podría producirse el esperado desembarco en las costas cubanas. La embajada de los Estados Unidos y los hombres de la CIA destacados en La Habana jugaban un rol decisivo en los preparativos e incluso en la logística del mismo.

Prácticamente no pasaba un mes en que no se intentara un atentado. Cada uno de ellos iba fallando puntualmente y sus ejecutores eran detenidos. ¿Tenía Castro siete, nueve, cien vidas?

Entre los intentos que mostraron un alto nivel de preparación y que han sido dados a conocer públicamente, merece citarse uno fraguado por la CIA, que infiltró en la provincia de Matanzas a un grupo de cubanos procedente de La Florida. Apenas desembarcados, los complotados fueron detenidos y se les incautaron armas, granadas, un equipo de control remoto y seis detonadores.

En diciembre de 1960, cuando ya se habían efectuado las elecciones que dieron ganador a Kennedy, un equipo de la CIA infiltrado desde los Estados Unidos fue capturado al intentar colocar una carga de explosivos plásticos en una alcantarilla de una avenida céntrica de La Habana. El plan consistía en detonar el artefacto por control remoto ante el paso de Castro.

En ese mismo mes, la célula de la CIA en La Habana, que monitoreaba trayectos, costumbres y sitios a los cuales concurría Fidel, decidió organizar un atentado mediante un fusil con mira telescópica, con el cual dispararían contra Castro cuando concurriese al restaurante Potín, situado frente al lugar desde donde se efectuaría el disparo…

Pero una vez más, el plan fue frustrado, el francotirador detenido y el fusil incautado por las fuerzas de seguridad.

Los hombres de la CIA, en especial quienes integraban la sección de operativos clandestinos, se impacientaban. Y con razón.

Con la asunción de John Kennedy se abría una gran incógnita acerca de la actitud que tomaría el nuevo presidente con respecto a las actividades encubiertas de la Agencia.

Pero los desalentados conspiradores se llevarían una sorpresa.

Capítulo 6
LOS HERMANOS KENNEDY

"Un hombre inteligente es aquel que sabe ser tan inteligente
como para contratar gente más inteligente que él".

John F. Kennedy

Finalmente, los votos dijeron que John Fitzgerald Kennedy era
el nuevo presidente de la nación. La entrega del mando se realizó el 20 de enero de 1961. Eisenhower y Kennedy tuvieron
una reunión a solas antes del acto protocolar. En el Salón Oval,
Ike le transmitió a su sucesor todo lo relativo a la seguridad
nacional, que incluía armas nucleares y lo que él sabía de las
operaciones clandestinas.

El presidente saliente se detuvo sobre este último tema y ambos
compartieron detalles de la muerte de Lumumba, ocurrida tres
días antes. Resulta difícil de entender que Eisenhower haya dado
la orden de liberarse del líder congoleño, setenta y dos horas
antes de entregar el mando, sin consultar a su sucesor. Pero
había decidido cargar con ello.

Con relación a Cuba, Eisenhower había dado un paso trascen-
dente. El 3 de enero, aduciendo la exigencia del gobierno revolucionario de reducir el número de diplomáticos acreditados en la Isla, la
Casa Blanca había roto relaciones con La Habana. El flamante presidente tenía así allanado el camino para el tiempo que venía.

Después de la reunión a solas, Eisenhower y Kennedy participaron de una primera reunión informal con los Secretarios
de Estado, los jefes del Pentágono y del Tesoro de una y otra
administración. Según puede leerse en los documentos desclasificados en enero de 1997, y que pertenecen a la Biblioteca
Dwight Eisenhower, en esa reunión Kennedy se interesó mucho
por la opinión de *Ike* acerca de la posibilidad de que el apoyo a
una invasión a Cuba trascendiese a la opinión pública. ¿Qué
habría que hacer en ese caso?

Eisenhower insistió en seguir con el curso de los preparativos organizados por la CIA, porque a su juicio no se podía tolerar el gobierno de Castro. En esa oportunidad, opinó también sobre la necesidad de sacarse de encima a Rafael Trujillo en República Dominicana, con quien la Casa Blanca había roto relaciones diplomáticas en agosto de 1960. Quedó entonces la sensación de que un proyecto neutralizaba al otro.

Antes de estas reuniones para preparar la transición, a mediados de noviembre de 1960 Kennedy se había encontrado con el jefe de la CIA y su plana mayor. Días antes del encuentro, Jack Esterline, responsable del proyecto cubano, en una evaluación realista confirmaba que el proyecto de establecer una cabecera de playa y desde allí llamar a la comunidad internacional para designar un gobierno provisional en reemplazo de Castro, era inviable si no participaba el Pentágono.

Kennedy no se enteró de esta evaluación y el plan siguió en marcha. Jamás se escuchó la palabra "inviable". En su lugar se seguía mostrando un escenario de triunfo.

El espectáculo continúa

Pero según las notas de las distintas reuniones, John Kennedy no estaba muy convencido del plan de la CIA y pidió varias reformulaciones. La Agencia decidió no perder tiempo ni esperar que le llegaran indicaciones muy precisas. Con lo que habían escuchado de labios de los jefes de la Casa Blanca, tanto de parte de *Ike* como de John Kennedy, tenían ya elementos suficientes para elaborar sus propios planes.

Así, el mismo 20 de enero —como ya dijimos, el día que Kennedy asumía la Presidencia— en la CIA se daban los pasos finales para la organización definitiva del mencionado departamento ZR/Rifle, que tenía la misión de "crear capacidades para eliminar líderes políticos extranjeros, hostiles a las políticas de Estados Unidos", según consta en los documentos dados a conocer por la Comisión Church.

Para dirigir ese departamento, de gran importancia estratégica para los futuros planes de la Agencia, fue recomendado

William Harvey. Una vez aceptado su nombre, el jefe de operaciones clandestinas Richard Bisell lo llamó a su despacho y le ordenó desarrollar un programa de "acción ejecutiva" con el fin de asesinar a líderes políticos extranjeros. Fue muy claro en sus conceptos:

"Desde la Casa Blanca han ordenado crear una estructura especial, para realizar ese tipo de operaciones".

Claro, aunque no exacto. "Operaciones" no significaba otra cosa que simples y llanos "asesinatos". Harvey se puso en marcha e hizo una larga lista de posibles colaboradores. Los convocó y a todos les explicó que no debería circular entre ellos ninguna nota con la palabra "asesinato".

Eric Fratini sostiene que el nombramiento de William Harvey no tuvo oposición, porque era de esos espías que:

"...serían capaces de suicidarse, antes de permitir que la mierda pudiese salpicar a un presidente de los Estados Unidos".

Venenos y submarinos

La proximidad del ataque a Cuba que se programaba en secreto, aceleraba las decisiones en Washington y en La Habana. El acuerdo de la CIA con la mafia seguía su curso, y el contacto de la Agencia con el sindicato del crimen, Sheffield Edwards, se involucraba cada vez con más decisión en el proyecto de asesinato.

Personalmente, Edwards discutía con el laboratorio especial las características del veneno para el atentado. Según pudo constatar la Comisión Church, el primer grupo de píldoras fue rechazado porque éstas no se disolvían en el agua. El segundo grupo, en base a toxina de botulina, cumplía todos los requisitos de seguridad.

Si bien la Comisión senatorial no estableció una fecha concreta, se ubica a fines de febrero de 1961 el momento en que el mafioso Roselli recibió la encomienda letal. Los archivos de la CIA señalan que algunos días antes de la invasión, las pastillas fueron entregadas a un cubano para que las introdujera en la Isla. Al emisario le puntualizaron cómo debían utilizarse. No era posible introducirlas en sopas calientes, pero sí en agua, con un efecto de duración ilimitada. Aunque todo debía hacerse lo más rápido posible.

La entrega fue realizada en un hotel de Miami. El cubano encargado de organizar el atentado recibiría una suma de 50.000 dólares, aportados directamente por la CIA.

La Comisión Church pudo desentrañar en parte el operativo, que tenía dos vías de concreción. Por un lado, Roselli confiaba en un viejo amigo, Juan Orta, que durante los años de Batista recibió importantes sobornos de los responsables de los casinos y ahora tenía una responsabilidad de gobierno, que lo ubicaba trabajando en las oficinas de Fidel, quien ejercía el cargo de Primer Ministro.

Esta tentativa significó un fracaso desde el inicio. Como el mismo Roselli comunicó, al poco tiempo Orta tuvo que devolver las pastillas. Esto se atribuía al hecho de que el funcionario había perdido posiciones y ya no tenía acceso a Castro. Los archivos cubanos señalan, en cambio, que Juan Orta conoció las fuertes medidas de seguridad que se iban implementando contra las distintas variantes de conspiración, se acobardó y pidió asilo en la Embajada de Venezuela, a la espera de la invasión que ya era un secreto a voces.

La posibilidad de envenenar a Castro en un restaurante también fracasó. Santos Traficante ofreció para ello los buenos oficios y contactos de su amigo Tony Varona, exiliado en Miami y ex presidente del Senado batistiano. Entonces fue convocado y viajó especialmente desde La Habana un hombre de suma confianza, quien recibió las pastillas. El elegido era un empleado del restaurante Pekín, un sitio al que solía concurrir Fidel. Pero el designado para la misión, que al principio aceptó el encargo, también se percató de las consecuencias personales que podía tener su actitud y eligió, como Orta, el asilo diplomático.

Además estaba en los planes llevar a cabo un atentado en la cafetería del hotel Habana Libre. Pero, oh casualidad, éste tampoco se realizó.

Ante estos fracasos consecutivos, la CIA y la mafia difundieron versiones que trataban de disimular los fallidos pasos. Pero al parecer, lo concreto era que esos planes no lograban traspasar la fuerte malla de las medidas de seguridad del gobierno, que se habían intensificado ante la posible invasión, sobre la cual no se había podido mantener el secreto.

Como la imaginación de los conjurados no tenía límites, se propuso también la posibilidad de utilizar un mini submarino de la marina estadounidense, sin distintivos. Un hombre de la mafia comunicaría a Miami la partida del barco que conducía Fidel para su excursión de pesca. Desde Miami se conectarían con el capitán del submarino, quien ordenaría torpedear al barco cubano.

Pero ni el fuego de los disparos ni el agua de vasos o submarinos estaban destinados a prosperar. La inteligencia cubana parecía evidenciar una robustez que o persuadía al abandono de antemano o frustraba sobre la marcha cualquier intento de asesinato.

Una "generosa" intentona

En un escenario de versiones cada vez más fuertes de invasión e informaciones concretas de sus propios agentes, que se recibían diariamente en el Palacio Presidencial de La Habana, el gobierno profundizaba la batalla en las montañas de Escambray, acción que el propio Fidel Castro había señalado como decisiva, pues se consolidaba la teoría de que esa zona montañosa se podría convertir en retaguardia de las fuerzas contrarrevolucionarias.

A fines de 1960 se organizó la operación denominada "La limpia del Escambray", en la que participaron miles de milicianos de todo el país y miembros de las fuerzas armadas cubanas. En marzo de 1961, en un acto público en recuerdo de las víctimas de un atentado terrorista en el puerto de La Habana, Fidel anunció el éxito de la operación, con un saldo de 39 muertos y 381 detenidos en las filas de la tropa organizada desde Miami.

En paralelo a los intentos en conjunto con la mafia, la CIA disponía de distintos proyectos de desestabilización y posterior derrocamiento del gobierno encabezado por Fidel Castro. Para ello la Agencia desarrollaba diversos acuerdos con los grupos de exiliados en La Florida. Todos ellos incluían indefectiblemente la eliminación física del líder de la Revolución.

Uno de los intentos más serios fue el que comenzó a gestarse a mediados de marzo de 1961, cuando en los límites de las provincias de La Habana y Matanzas, fue infiltrado un grupo de anticastristas provenientes de Miami, con más de trece toneladas de explosivos. Tres nombres sobresalían en esta operación:

-Rafael Díaz Hanscom, un ingeniero aliado de Tony Varona, que ejercía el papel de coordinador;

-Humberto Sori Marín, como responsable militar; un ex comandante del Ejército Rebelde, que había sido Ministro de Agricultura en el primer gabinete revolucionario;

- Rogelio González Corzo, contacto con la CIA y, en consecuencia, responsable de la logística, los suministros y el dinero.

Apenas desembarcados, los complotados acordaron reunirse el 18 de marzo en una casa de supuesta máxima seguridad de La Habana. Allí fueron detenidos, pues todos sus movimientos, en especial los de Sori Marín, estaban controlados. Se incautaron armas y documentación, la que permitió desentrañar los objetivos del grupo y la responsabilidad de cada uno de ellos.

El informe del Departamento de Investigaciones del Ejército Rebelde, fechado el 28 de marzo de 1961, establece que de acuerdo a las instrucciones recibidas, se procedió al registro y detención de los ocupantes de una casa situada en el reparto Flores de Marianao.

En el documento figura que el mencionado Rafael Díaz Hanscom tenía como objetivo asesinar a Fidel Castro en una de sus visitas al Instituto de Ahorro y Viviendas. Rogelio González Corzo había sido designado coordinador de una provocación en la base naval norteamericana de Guantánamo, que debía producirse en el momento de la invasión. Humberto Sori Marín, dice el mismo informe de inteligencia, tenía como tarea fundamental aglutinar grupos contrarrevolucionarios y estructurar un soporte interno para la invasión. Sori Marín debía enfocar sus intentos principalmente en el seno de las fuerzas armadas.

El fracaso de esta operación, denominada "Generosa" y preparada con tanto esmero, desorientó a los responsables de la CIA. Algunos lo atribuyeron todo a la casualidad y otros a la mala suerte. En realidad, la contrainteligencia cubana había infiltrado al capitán Alcibíades Bermúdez, uno de sus hombres, en el grupo que trataba de vincularse con las fuerzas armadas para sumarlas a la insurrección.

Sori Marín recibió el encargo concreto de provocar un alzamiento en Pinar del Río y asegurar las condiciones para un desembarco en apoyo de la invasión, que se preparaba en Guatemala. Las conversaciones entre Sori Marín y Bermúdez, el infiltrado del gobierno, se enfocaban en los planes de unificar los grupos contrarrevolucionarios, desencadenar una guerra interna en apoyo a los invasores y asesinar a Fidel.

Enterados de los planes los jefes revolucionarios, fue el propio comandante Ramiro Valdés quien dio la orden de allanamiento y detención de los complotados.

El fracaso de la "Operación Zapata"

Consciente de que las operaciones en el interior de Cuba no resultaban exitosas, la CIA apresuró los planes de intervención directa. Richard Bisell le mostró a Kennedy el nuevo plan, con algunas de las recomendaciones que había sugerido el mismo presidente. En efecto, el jefe de la Casa Blanca exigía que no quedaran evidencias de ningún tipo de participación de los Estados Unidos.

Teniendo en cuenta esa insistencia, Bisell recurrió a expertos del Pentágono para buscar otras opciones. Así surgió la elección de un nuevo sitio para el desembarco, proponiéndose la Bahía de Cochinos, en la península de Zapata, lo que le dio nombre al operativo.

El lugar tenía un pequeño aeropuerto, era de difícil acceso para las fuerzas gubernamentales que quisiesen llegar por tierra y se podía tomar una cabecera de playa apoyada con artillería desde el mar, lo que permitiría ganar tiempo para la participación directa de las fuerzas armadas norteamericanas. Todo eso figuraba en el plan.

Con el tiempo, analistas militares reconocieron que el terreno en Bahía de Cochinos era una maraña de raíces y de barro, y que ello era desconocido en Washington. Los mapas topográficos de que disponía la CIA y que decidieron que esa ciénaga era un terreno adecuado para la guerrilla anticastrista, habían sido confeccionados ¡a fines del siglo XIX!

A esa altura, John Kennedy no mostraba mayor entusiasmo. Pedía más y más precisiones, hasta que finalmente levantó el pulgar y acordó que el plan se llevara adelante. La insistente Agencia una vez más se había salido con la suya, y llevó adelante las acciones. Pero el desastre fue mayúsculo.

Al terminar los combates el 19 de abril de 1961, en poco más de 60 horas murieron 114 invasores, y 1189 miembros de la brigada cubana entrenada en Guatemala fueron hechos prisioneros.

El golpe de tamaño fracaso fue muy duro para la flamante administración Kennedy. Días después del término de las acciones militares en Cochinos, el presidente citó a una reunión del Consejo Nacional de Seguridad, una instancia que había ignorado hasta entonces.

El primer mandatario estadounidense le encargó al general Maxwell Taylor, su asesor militar, que junto a Robert Kennedy y el jefe de la CIA, Allen Dulles, realizaran una profunda investigación sobre lo ocurrido en la ciénaga de Zapata.

El informe del general Taylor recomendaba, en lo esencial, inscribir el caso cubano en el contexto de la Guerra Fría. Dando su acuerdo a esa concepción, John Kennedy se convenció de que no había por qué cancelar las operaciones clandestinas, sino que debía haber una nueva manera de organizarlas y conducirlas al éxito.

En ese contexto, como señala Eric Fratini, para la CIA acabar con Castro y su régimen era una batalla más de la callada guerra contra el bloque soviético. Para los hermanos Kennedy, eliminar a Castro era una revancha personal por la afrenta de Bahía de Cochinos.

Según todos los testimonios, la derrota de la invasión a Cuba enfureció a John. En un primer momento, según afirma el historiador Tim Weiner, pensó en destruir la CIA; tal era su enojo. En septiembre de 1961, Allen Dulles, que dirigía la Agencia desde febrero de 1953, se jubiló. Seis meses después se marchó Richard Bisell, el responsable de las acciones clandestinas. En la ceremonia de despedida el presidente le entregó a Bisell la Medalla de la Seguridad Nacional.

Acto seguido, John Kennedy nombró como director de la CIA a John McCone, un político con larga experiencia atesorada en los tiempos de Eisenhower.

Como jefe de las acciones clandestinas de la CIA, asumió Richard Helms, que luego llegaría a la jefatura de la Agencia.

Los hermanos Kennedy le dieron a las acciones secretas un impulso impensado por muchos. En los ocho años de Eisenhower, se contabilizaron 170 operaciones encubiertas de la CIA. Los Kennedy, en tres años, pusieron en marcha 163 acciones clandestinas.

Ese constituye también parte del legado de John Kennedy, quien es, según Eric Hobsbawm, el presidente norteamericano más sobrevalorado del siglo XX.

El turno de la "Mangosta"

La derrota en Cochinos clausuró el Operativo Zapata, pero dejó en pie otros. "¡Un poco de imaginación!", John Kennedy urgía a sus asesores a que diseñaran acciones concretas contra Fidel Castro, sin importar cuánto tuviesen de fantasiosas. A fin de dar una imagen de la seriedad con que tomaba el asunto, designó para monitorear todas las opciones un comité especial de seguimiento, integrado por Robert Kennedy, el general Maxwell Taylor y el jefe del Pentágono, Robert McNamara.

Animados por este impulso, y con la convicción de que no habría ninguna barrera, el nuevo grupo responsable de las acciones clandestinas, con Richard Helms a la cabeza, presentó todo tipo de proyectos, que incluían, entre otras:

+ Usar armas químicas y biológicas contra trabajadores cubanos del azúcar.

+ Lanzar herbicidas contra plantaciones de caña.

+ Minar puertos.

+ Contratar a criminales cubanos para atentar contra altos funcionarios del gobierno, contra técnicos soviéticos y todo aquel que se manifestara a favor del proceso revolucionario en Cuba.

+ Ofrecer importantes sumas de dinero a quienes asesinaran o secuestraran a funcionarios del gobierno.

En declaraciones a la Comisión Church, Robert McNamara reconoció que después del fiasco en Cochinos, la Casa Blanca estaba histérica, y que las presiones de los hermanos Kennedy sobre el tema Castro eran enormes.

En este clima comenzó a fortalecerse la Operación Mangosta, que tenía como objetivo central un programa de propaganda, sabotajes a la economía, infiltración de exiliados para organizar la oposición en la Isla, promover revueltas y por supuesto, como fin supremo, la eliminación de Fidel Castro.

Un documento desclasificado de la CIA señala que en octubre de 1962, la Agencia tenía agendadas más de 410 organizaciones anticastristas que operaban en Miami, Los Ángeles, Nueva York y el interior de Cuba. En estos grupos centraba ahora su atención la administración Kennedy.

Se calcula que en el primer año de la Operación Mangosta, se gastaron alrededor de 100 millones de dólares. Quizás un elemento que certifica la obsesión de los hermanos Kennedy acerca del tema Cuba, lo señala un texto de puño y letra de Robert Kennedy, puntualizando mes por mes el plan operativo, que debía ser completado antes de fines de 1962:

"Marzo-abril: inicio de las operaciones.

Abril-mayo: refuerzo de la actividad clandestina dentro de Cuba.

Agosto: puesta en marcha de las acciones subversivas (ataques terroristas, sabotajes, atentados e infiltraciones).

Finales de agosto-principios de septiembre: incremento de las acciones subversivas.

Octubre: revueltas generalizadas en todo el territorio cubano desde diferentes frentes, para derrocar a Castro.

Finales de octubre: reconstrucción del gobierno, mediante la creación de un gabinete de unidad nacional, con grupos, partidos y sindicatos anticastristas, con el acuerdo y el financiamiento de la CIA".

Es importante señalar que en el marco de este calendario tentativo de la Operación Mangosta, el Pentágono había incluido un plan de contingencia que proyectaba para el mes de octubre del

62 un ataque militar norteamericano a Cuba, con los fines de pacificar el país.

El eje central de este plan era destruir la producción de azúcar y tabaco en distintas provincias y estructurar, desde el campo a la ciudad, una insurrección armada.

Desclasificación de documentos e investigaciones en el Senado de los Estados Unidos permitieron establecer que dos personas nombradas directamente por la Casa Blanca, una proveniente del Pentágono y otra de la CIA, tenían un papel relevante en la Operación Mangosta.

Por parte del Pentágono el responsable era Edgard Lansdale, un piloto militar que tenía experiencias de acciones clandestinas en Filipinas y Vietnam.

Desde la CIA llegaba William Harvey, responsable del proyecto ZR/Rifle que sin eufemismos tenía como objetivo la eliminación física de Fidel Castro. Harvey testificó ante la Comisión Church y reconoció que sus jefes de la CIA le habían dicho claramente que la Casa Blanca reiteraba su interés en un dispositivo de "acción ejecutiva". En base a este testimonio, puede inferirse que John y Robert Kennedy habían ratificado la aprobación del asesinato del líder cubano.

Para los pasos conducentes a la sublevación del pueblo cubano, que se diseñaba en el plan Mangosta, uno de los elementos fundamentales era lograr unir las numerosas organizaciones clandestinas que operaban en Cuba. Se elegirían a los dirigentes de cada agrupación para ser entrenados en Miami; luego éstos volverían a Cuba y coordinarían sus acciones bajo el mando de la CIA.

En el interior de la Isla, según los datos que manejaban los servicios de contrainteligencia cubanos, actuaban más de 70 grupos conspirativos, que sumaban aproximadamente 1.000 hombres. La seguridad cubana había organizado un Buró de Bandas, que tenía información detallada de cada uno de sus movimientos.

Curiosamente, mientras muchos de esos grupos eran aniquilados, el entusiasmado general Lansdale recibía noticias optimistas que le suministraba la CIA. Con esos elementos, elevó a la Casa Blanca un memorando de cuatro puntos en que proponía utilizar una provocación y derrocar al régimen de Castro mediante la fuerza militar de los Estados Unidos.

Los distintos planes para asesinar a Fidel seguían su curso en pleno desarrollo del plan Mangosta, apelando a diversas estrategias, con algunas características similares entre ellos.

Una serie de atentados, por ejemplo, se centraba en asesinar a un destacado dirigente de la Revolución, para atentar después contra Fidel, cuando éste previsiblemente asistiera a las honras fúnebres.

Así, en abril de 1962, Juan Guillot, un agente de la CIA, planeó asesinar a Juan Marinello, en aquel entonces rector de la Universidad de La Habana, dando por descontado que Fidel acudiría luego a sus funerales. Ése sería el momento ideal para asesinarlo.

Pero una vez más, el proyecto fue neutralizado y detenidos los participantes del complot.

En el mes de mayo de 1962, la tentativa se organizó desde la base naval de Guantánamo, y el objetivo sería el canciller Raúl Roa García. El mecanismo era similar al anterior: ultimar a Fidel en los actos del velatorio. Entre los complotados luego detenidos se hallaba Jorge Luis Cuervo Calvo, Gran Maestre de la masonería.

La actividad conspirativa era continua, y su neutralización también. Con el mismo esquema y propósito anterior, en diciembre de 1962 se intentó el asesinato del jefe de la policía, comandante Efigenio Ameijeiras. El comando que se disponía a asesinar a Fidel cuando asistiera a la capilla ardiente fue detenido y secuestradas las pistolas con silenciador con las que pensaban llevar a cabo el atentado.

Otro grupo planeaba los asesinatos en espacios públicos, como la Plaza de la Revolución, en ocasión de la consabida presencia de Fidel en los actos del 1º de mayo y el 26 de julio.

Los atentados en la vía pública con francotiradores fueron también otro de los recurrentes métodos planificados.

En el mes de marzo de 1962, un mecánico de aviación de la base aérea de Baracoa intentó colocar una bomba en el avión que utilizaba Fidel en sus desplazamientos al interior del país.

Durante todo ese año 1962, la seguridad cubana detectó y desactivó dieciséis proyectos de asesinar a Castro. Todos los participantes fueron detenidos, incautadas las armas y documentación que probaba las conexiones de esos grupos con Miami y con la CIA.

Los cohetes de la discordia

El mencionado año, junto a los numerosos intentos de asesinato, significó también un pico muy alto de agresividad contra el proceso revolucionario cubano. Entre los meses de enero a agosto, las fuerzas de seguridad constataron 5.870 sabotajes y actos terroristas, contabilizándose entre ellos 700 acciones contra objetivos económicos y sociales de envergadura. El resto fueron incendios de cañaverales y diversas instalaciones.

Creció también el número de organizaciones que se proclamaban abiertamente dispuestas a derrocar el gobierno, asesinando a milicianos y colaboradores gubernamentales.

A través de la desarticulación de los grupos armados y la detención de sus integrantes, se tuvo la certeza, desde la dirección cubana, de que para los Estados Unidos quedaba sólo una vía: la intervención militar directa.

A una conclusión parecida arribó en Washington el general Maxwell Taylor, el militar que más confianza despertaba en el presidente Kennedy.

En este escenario sumamente difícil, la historia conocida posteriormente indica que el 29 de mayo de 1962, pocos días después de que la seguridad cubana desmantelara la primera fase del operativo Mangosta, arribó a La Habana una delegación soviética presidida por Sharif Rashidov, miembro del Buró Político del Partido Comunista Soviético, y el mariscal Serguei Biriuzov, jefe de las fuerzas de cohetes de la URSS.

Los enviados especiales de Nikita Kruschov tenían un objetivo concreto: negociar con la dirigencia cubana la instalación de misiles con cabezas nucleares en el territorio de la Isla.

No hay coincidencia en cómo surgió la idea en el máximo líder soviético. Hay quienes afirman que Kruschov la concibió en el transcurso de una visita a Bulgaria, en mayo de 1962, cuando lo alertaron del peligro que significaban para la Unión

Soviética los misiles norteamericanos instalados en Turquía. Otra versión dice que la idea nació mientras Nikita paseaba por los jardines del Kremlin.

Cualquiera haya sido el origen de la decisión, no parece creíble que la misma haya tenido lugar a mediados de mayo y ya a fines de ese mes llegara la delegación a La Habana.

Los soviéticos argumentaron sobre los peligros que corría el proceso político cubano, frente a una inminente agresión directa norteamericana, un intento que Moscú conocía seguramente por trabajos de inteligencia. La parte cubana no ignoraba esa posibilidad, y la propuesta fue sometida a discusión por Fidel Castro, quien la comunicó al conjunto de la dirigencia de su país.

En una reunión tripartita internacional, a treinta años de la crisis, Castro explicó con precisión los pros y contras que había en esa decisión. Por ella, Cuba se convertía de hecho en una base militar soviética, y eso tenía un alto costo para la imagen del país.

El general Fabián Escalante, frente a mis interrogantes, puso especial énfasis en puntualizar que la propuesta de acuerdo militar fue una iniciativa cubana.

"Ellos vinieron primero con la oferta de los misiles, y la dirección cubana, ante la importancia del evento y sus probables repercusiones políticas, propuso un acuerdo militar, que ellos aceptaron, pero que innecesariamente dilataron para finales de aquel año. Lo importante, para Cuba, era que el acuerdo militar se estructuraba como un legítimo derecho de un gobierno soberano que se sentía atacado y agredido por otro. De tal manera, era un tratado de cooperación recíproca en el terreno militar. Eso es lo que se desprendía del texto firmado".

Al mismo tiempo que se la percibía como una maniobra estratégica de gran envergadura, los cubanos eran conscientes de que sería muy difícil ocultar la operación a los servicios de inteligencia de Occidente.

Anadir, que tal era el nombre clave del operativo, fue según los propios responsables, la mayor operación emprendida por las fuerzas armadas soviéticas, y en general de la historia rusa, al movilizar 85 barcos trasladando equipos militares y 40.000 efectivos, a través del Océano Atlántico.

Escalante me subrayó al respecto:

"Para Cuba y en particular para sus Fuerzas Armadas, la operación Anadir fue una prueba de organización, disciplina, madurez y astucia, que no siempre ha sido reconocida. Se planeó con precisión cada paso militar y político. Por eso, cuando la crisis se desató, Cuba jamás perdió la iniciativa".

El 14 de octubre de 1962, un avión espía U2, piloteado por el mayor de la fuerza aérea Richard Heiser, sobrevoló la zona occidental de Cuba, tomando 928 fotografías en el lapso de 6 minutos. En las 24 horas siguientes, los expertos de la CIA comparaban las imágenes obtenidas por el U2 con las fotos de misiles soviéticos que se exhibían en los desfiles del 7 de noviembre en la Plaza Roja.

Las conclusiones llegaron en 24 horas: lo que se observaba en el reconocimiento aéreo eran misiles balísticos de alcance medio, capaces de transportar una cabeza nuclear desde el occidente cubano hasta Washington.

Estalla la "Crisis de los Misiles"

La Casa Blanca se convirtió en un espacio de debate intenso. La gran pregunta era qué actitud tomar. Estaba latente la posibilidad de una guerra nuclear. En los debates de alto nivel, en los que participaba el presidente Kennedy con sus asesores, se barajaron tres posibilidades alternativas:

+ Bloqueo de Cuba sin declaración de guerra.
+ Bloqueo con declaración de guerra.
+ Lisa y llanamente: la invasión a Cuba.

Finalmente, el 22 de octubre y en un discurso televisado, el presidente Kennedy anunció el bloqueo naval a todo el territorio cubano, y advirtió que el lanzamiento de misiles desde Cuba hacia cualquier país del Hemisferio Occidental sería considerado como un ataque de la Unión Soviética contra Estados Unidos, y demandaría una represalia militar absoluta.

En Cuba, entretanto, se decretaba la alarma de combate y se movilizaban, según datos de la época, más de 300.000 efectivos. La gran crisis estaba planteada.

El 26 de octubre llegó a la Casa Blanca un largo mensaje desde Moscú. Era una carta personal de Nikita Kruschov, en la que manifestaba que si Estados Unidos prometía no invadir Cuba, la URSS retiraría los misiles. Al día siguiente, los despachos de prensa desde la capital soviética aseguraban que el Kremlin retiraría sus misiles de Cuba si Washington hacía lo propio con sus cohetes emplazados en Turquía.

Crecían la tensión y el dramatismo. El jefe del Pentágono, Robert McNamara, informaba que el 27 de octubre, una batería de cohetes antiaéreos manipulada por efectivos soviéticos había derribado sobre territorio cubano un avión espía U2 piloteado por el mayor Rudolf Anderson.

Con esa información, la junta de jefes militares recomendaba un ataque en gran escala sobre Cuba, en un plazo no mayor de 36 horas.

Hubo una reunión en el Salón Oval, en la que el Presidente consultó a sus asesores más cercanos, entre los que por cierto no estuvo presente el jefe de la CIA. Al término de las deliberaciones, Robert Kennedy se reunió con el embajador soviético y le comunicó que aceptaban la propuesta del intercambio de misiles, con la condición de que la misma no se hiciera pública. La Casa Blanca no quería aparecer haciendo ningún trato con Kruschov.

Así, el acuerdo entre Washington y Moscú para retirar los misiles se hizo sin el consentimiento de La Habana. Cuba denunció el pacto alcanzado y, en uso de su facultad soberana, se negó a la inspección del cumplimiento de esos acuerdos en el territorio cubano.

Fue Fidel Castro quien planteó los cinco puntos que Cuba consideraba esenciales para una negociación duradera y sólida. Esa formulación del líder cubano constituye aún hoy, según la opinión de muchos analistas internacionales, una base cierta para una negociación entre Estados Unidos y Cuba:

- Cese del bloqueo.
- Cese de todas las actividades subversivas.
- Cese de los ataques piratas.

• Cese de las violaciones del espacio aéreo y naval de Cuba.

• Retirada de la base naval de los Estados Unidos en Guantánamo.

Todos los movimientos de esos días, que pusieron el mundo al borde de un enfrentamiento nuclear, fueron pasos sigilosos. Hubo que esperar hasta el 2003, para saber qué habían registrado las cintas grabadas por la Casa Blanca.

Después de cuatro décadas, finalmente se aclaró todo gracias a una trascripción, resultado de más de veinte años de trabajo de Sheldon Stern, historiador de la Biblioteca Presidencial John Kennedy.

La desgrabación no coincide con las versiones que en su momento deslizaron John y Robert Kennedy a periodistas amigos. Dice Tim Weiner en su meduloso y varias veces citado trabajo:

"Hoy sabemos que los Kennedy distorsionaron los datos históricos y ocultaron la forma en que se resolvió la crisis".

La CIA: un mundo aparte

Hoy se sabe, también, que en pleno desarrollo de la Crisis de los Misiles, la CIA no descuidaba sus planes propios sobre Cuba. El 20 de octubre de 1962, la Agencia puso en marcha la Operación Cupido, que constaba de cuatro pasos:

• Un plan de infiltración para capturar una base aérea y lograr así un control territorial importante, destruyendo con explosivos plásticos objetivos económicos de la región.

• Una segunda etapa en la que, con base en el territorio conquistado, se desplegaría una intensa campaña propagandística para informar que el pueblo cubano se había rebelado y dominaba áreas propias en suelo cubano.

• La tercera fase consistiría en fraguar un ataque a Puerto Cabezas, situado en territorio nicaragüense, simulando que era una venganza por el apoyo de Luis Somoza a la invasión en Bahía de Cochinos.

• Paralelamente, fuerzas contrarrevolucionarias desembarcarían en la provincia de Camagüey, cercana a los Estados Unidos, para instalar un gobierno provisional encabezado por José Miró Cardona, en nombre del Consejo Revolucionario Cubano.

El esquema era, a primera vista, interesante. Con la crisis que sobrevendría a la agresión fraguada en Nicaragua, a lo que se sumaba una provincia sublevada, un gobierno provisional instalado en territorio cubano y las fotos de los misiles soviéticos, se creaban las condiciones necesarias para lanzar una invasión militar directa por parte del Pentágono.

La intervención masiva de tropas norteamericanas haría inútil cualquier resistencia, y destruiría los emplazamientos de los misiles; el gobierno revolucionario sería derrocado y sus dirigentes eliminados físicamente. Cupido era la versión mejorada de Mangosta.

Pero los planes volvieron a fracasar.

El grupo que debía infiltrarse para sublevar una provincia fue capturado, y sus integrantes confesaron sus planes frente a las cámaras de la televisión cubana. El resto del plan, ya conocido por el público y la seguridad cubana, se desmoronó mientras la crisis entre Washington, La Habana y Moscú transitaba horas decisivas.

A todo esto, el acuerdo final entre Kennedy y Kruschov se materializó. El mismo, que aseguraba en teoría aventar futuros peligros para la Revolución Cubana, mereció una mirada especial del general Escalante:

"Fue violín, como decimos en Cuba. No había nada amarrado, nada más que la palabra del imperio de no atacar, algo que después del asesinato de Kennedy quedó en el aire y nadie se sintió obligado a cumplir".

Los hechos posteriores parecen darle la razón.

Capítulo 7
CRIMEN EN DALLAS

"En realidad, Kennedy es el presidente que invadió el sur del Vietnam
y el que lanzó un gran ataque terrorista en contra de Cuba".

Noam Chomsky

Cuba se había convertido en la obsesión de la Administración Kennedy, pero no era la única preocupación en la región. El Presidente inauguró en julio de 1962 su moderno equipo de grabación en el Salón Oval, registrando la conversación con el entonces embajador en Brasil, Lincoln Gordon, con quien analizó los detalles de un plan para el derrocamiento del gobierno que encabezaba João Goulart.

El embajador Gordon, después de esa conversación en Washington, regresó a Brasil e instruyó a los miembros de la estación de la CIA para que notificaran, a quienes debían saberlo, que Estados Unidos no sería hostil a ninguna acción militar que estuviese dirigida contra la izquierda.

Los contactos con los golpistas estaban a cargo del agregado militar de la embajada, Vernon Walters, que años más tarde sería el subdirector de la CIA.

Dos años después de la conversación en el Salón Oval, entre el presidente Kennedy y el embajador Gordon, João Goulart fue derrocado por un golpe militar apoyado por la CIA. El golpe de 1964 fue el inicio de una serie de dictaduras militares que gobernaron a Brasil durante más de veinte años.

João Goulart había nacido en 1918. Era hijo de un terrateniente brasileño y, al recibirse de abogado, se dedicó primero a administrar la hacienda paterna. Pero pronto inició la carrera política, llegando a ser presidente del *Partido Trabalhista Brasileiro*. Fue sucesivamente diputado federal, ministro de Trabajo y dos veces vicepresidente de su país. Cuando renunció Janio Quadros, el 25 de agosto de 1961, Goulart asumió como presidente.

Tras el golpe arriba mencionado, Goulart se exilió en la provincia argentina de Corrientes, al noreste del país. Su muerte, el 6 de diciembre de 1976, fue oficialmente atribuida a un ataque cardíaco, pero lo llamativo es que no hubo autopsia. Por esa época, la Operación Cóndor, o sea la alianza de las dictaduras del Cono Sur, con el visto bueno de la CIA, para ajusticiar elementos "subversivos" o peligrosos, estaba en su apogeo.

El 13 de enero de 2008, el diario *Página 12*, de Argentina, publicó las declaraciones de Neira Barreiro, un represor uruguayo de aquellos años, que sin saber que estaba hablando con el hijo de João Goulart, manifestó en una entrevista:

"No me acuerdo si usamos Isordil, Adelpan o Nifodin. Conseguimos colocar un comprimido en los remedios importados de Francia. Goulart no podía ser examinado por 48 horas o esa sustancia sería detectada".

El producto, según esta fuente, habría sido provisto por un médico legista argentino llamado Carlos Miles, quien después fue a su vez asesinado. Nada en esos años se hacía sin el beneplácito y apoyo de los organismos de inteligencia de los Estados Unidos.

Poco más de un año después, en marzo de 2009, João Vicente Goulart, hijo del ex presidente, afirmó en declaraciones periodísticas realizadas en Brasil que luego de analizar documentos secretos recientemente liberados en su país, no hay dudas de que su padre fue envenenado en una operación conjunta. Éstas fueron sus palabras:

"Para matar a mi padre se ejecutó una orden del gobierno de Brasil, bendecida por la CIA y con la complicidad de las dictaduras de Uruguay y Argentina".

El reportaje se realizó en la sede del Instituto Presidente João Goulart, en Brasilia, donde se archiva parte de los miles de documentos secretos recientemente cedidos por el gobierno de Brasil. El hijo del ex presidente supone otra fuente para la provisión del veneno:

"Nuestras convicciones se reforzaron definitivamente luego de que estudiamos estos materiales de organizaciones estatales que participaron en la represión de la dictadura (1964-1985), como el Servicio Nacional de Inteligencia, que nos fueron entregados por la Casa Civil, el principal ministerio del gabinete del presidente Lula da Silva. Estamos sabiendo ahora también que un agente argentino fue el que introdujo un veneno letal en los medicamentos que tomaba mi padre, veneno que suponemos fue facilitado por la CIA y producido en los laboratorios de la dictadura de Augusto Pinochet en Chile".

Demócratas sin fronteras

Pero la preocupación anticomunista de Kennedy, que algunos investigadores consideran una verdadera paranoia, no se detenía en Brasil. Pocos días después de la conversación para preparar el golpe contra João Goulart, el presidente Kennedy analizó directamente con el jefe de la CIA, John McCone, y el asesor de seguridad nacional, McGeorge Bundy, cómo expulsar del poder a Cheddy Jagan, un odontólogo elegido Primer Ministro de la Guyana Británica. El presupuesto acordado para esta operación fue de 2 millones de dólares.

La desclasificación de documentos permite enterarnos de que en una reunión de Kennedy con el Primer Ministro británico, Harold McMillan, el jefe de la Casa Blanca argumentó:

"Tener un Estado comunista en la Guyana Británica crearía presiones irresistibles sobre Estados Unidos para atacar militarmente a Cuba".

Y como era previsible, Jagan fue desalojado del poder.

El tema Cuba, a lo largo de todo este tiempo, seguía generando las más variadas iniciativas, contando siempre con la anuencia de la Casa Blanca. La ya aludida Crisis de los Misiles significó el implante de un nuevo escenario, que creó no pocos equívocos entre los distintos participantes en los proyectos de derrocamiento y asesinato de Fidel Castro.

JOSÉ ANDRÉS LÓPEZ

Uno de los particulares actores en esta trama fue Bill Harvey, de quien sus amigos decían que era tan aficionado a la bebida como a usar la pistola. Harvey comenzó a operar por su cuenta sin respetar la cadena de mandos, generando un enfrentamiento con el propio Robert Kennedy. Ese hombre era el responsable del mencionado proyecto ZR/Rifle, destinado a la eliminación física de Fidel Castro y de otros líderes políticos. Pero debió abandonar la jefatura de ese proyecto y viajar a Roma, su nuevo destino.

Como responsable del proyecto Cuba, a Bill Harvey lo reemplazó Desmond Fitzgerald, un millonario educado en Harvard, que era hasta entonces Jefe de Operaciones Clandestinas de la CIA en Extremo Oriente. Al frente de esa división, fue el responsable de la expansión de actividades de la agencia en Vietnam, Laos y el Tíbet.

Respecto de la pérfida Isla, los hermanos Kennedy fueron muy concretos en sus planteos: había que promover a través de sabotajes en objetivos económicos, un ambiente de caos, capaz de generar un movimiento contrarrevolucionario en el interior de Cuba. En una reunión privada, en abril de 1963, Robert Kennedy le explicó a Fitzgerald que los plazos no eran tan extensos; todo debía hacerse antes de que se celebraran las elecciones presidenciales de noviembre de 1964. Fitzgerald tenía poco más de dieciocho meses para llevar a cabo el plan, con un objetivo que hasta ahora sólo había cosechado fracasos.

Los sabotajes que debía implementar Fitzgerald se complementaban con una ofensiva política, que intentaba aprovechar las contradicciones entre Moscú y La Habana luego de la decisión unilateral de Kruschov de retirar los misiles nucleares. La idea era tratar de separar de la dirección del gobierno a los cuadros políticos que venían del antiguo Partido Comunista de Cuba, y a quienes se los consideraba fieles a la línea implementada desde la capital soviética.

Como otra expresión de la importancia que le asignaba la Administración Kennedy al caso cubano, el asesor de seguridad nacional llegó a aconsejar al presidente evaluar la posibilidad de comunicarse con Fidel Castro. El grupo especial que abordaba el tema consideró que era un esfuerzo útil avanzar en ese sentido.

El encargado de iniciar ese camino exploratorio fue William Atwood, consejero de la delegación de los Estados Unidos en Naciones Unidas, quien se contactó con Carlos Lechuga, embajador cubano en el organismo internacional. Años después, Atwood compareció ante la Comisión Church y declaró que todos sus pasos eran informados a la Casa Blanca, y que el asesor de seguridad, McGeorge Bundy, le había confiado que el presidente Kennedy estaba a favor de abrir una brecha con Cuba, sacar a Castro del abrazo soviético, quizás olvidarse de Bahía de Cochinos y hacer volver todo a su estado normal.

Atwood comunicó a colaboradores directos de Fidel Castro en Cuba que los Estados Unidos favorecerían las conversaciones preliminares en las Naciones Unidas en lugar de La Habana, que era el sitio elegido por los cubanos. Al mismo tiempo la Casa Blanca proponía elaborar una agenda para las conversaciones. Los próximos pasos se darían en un encuentro de Atwood con el propio presidente Kennedy, después de que éste regresara de un corto viaje a Dallas. Pero no pudo ser.

Los intentos no cejan

Mientras la diplomacia recorría estos pasos, Desmond Fitzgerald, el flamante responsable de las acciones clandestinas contra Cuba, ponía manos a la obra.

Enterado de que el abogado norteamericano James Donovan, como negociador con el gobierno cubano para la liberación de los mercenarios capturados después de la derrota de Girón, tenía acceso a Fidel Castro, Fitzgerald creyó que había encontrado al hombre ideal para su proyecto. Le propuso entonces a Donovan que le regalara a Castro un traje de buceo, infectado con un hongo que produciría una enfermedad incurable en la piel. Además, la vestimenta estaría contaminada con el bacilo de la tuberculosis. Pero al conocer la finalidad del obsequio, Donovan se negó rotundamente.

Pocos días después de este rechazo, agentes de la CIA le comunicaron a Fitzgerald que Fidel Castro, aficionado a la pesca submarina, acostumbraba nadar en las cercanías de Cayo

Largo, en el sur del país. Fitzgerald se comunicó entonces con la sección científica de la CIA, que elaboraba artefactos para atentados. Éstos idearon un caracol conteniendo un poderoso explosivo, que detonaría cuando Castro se acercara a observarlo, en la profundidad de las aguas donde pescaba. El ingenioso proyecto también fracasó.

En su libro *Operación exterminio*, Fabián Escalante describe el hecho con los ojos de un experto en seguridad:

"Imagine el lector la acción de colocar un objeto relativamente pequeño en el fondo del mar, rico en algas, rocas, bellos arrecifes de coral, para que una persona determinada lo encuentre. Aquello realmente era una locura, pero documenta con claridad meridiana hasta qué punto la CIA y sus dirigentes estaban obsesionados con el asesinato del líder cubano".

Fitzgerald no sólo pensaba en trajes de buceo y caracoles explosivos. Revisando los documentos reservados que hacían mención de las operaciones en marcha en Cuba, hubo uno denominado AM/LASH que le llamó la atención. Todos los elementos parecían indicar que este operativo, que había comenzado a implementarse en vísperas de la invasión a Cochinos, era algo distinto a lo ya conocido.

El elegido para llevar a cabo el atentado contra Fidel Castro era Rolando Cubela Secades, un hombre con muchos pergaminos que lo convertían en un contacto de enorme valor para la CIA. Según pudo saberse por la información desclasificada y en el marco de las investigaciones de la Comisión Church del Senado de los Estados Unidos, el proyecto AM/LASH es el mismo que la seguridad cubana desmanteló en febrero de 1966.

Rolando Cubela fue un activo militante universitario en la lucha contra la dictadura de Batista, por lo cual sufrió numerosas detenciones. En 1956 ajustició en plena calle a Blanco Rico, jefe de la inteligencia militar de Batista, y por ello debió exiliarse en Miami.

En 1958 regresó a Cuba integrando una expedición revolucionaria y combatió en la zona de El Escambray, hasta el triunfo en enero de 1959. Por sus méritos, alcanzó el grado de comandante del Ejército Rebelde. Desempeñó cargos de responsabilidad en el gobierno revolucionario y en octubre de 1959 fue elegido presidente de la Federación Estudiantil Universitaria.

El informe de la seguridad cubana señala que era conocido que Cubela tenía opiniones contradictorias sobre la Revolución y sus dirigentes, pero éstas no se tuvieron en cuenta al valorarse su trayectoria revolucionaria. Así Cubela pudo manejarse con relativa facilidad dentro y fuera del país, hasta que en el año 1965 se obtuvieron informaciones precisas sobre sus actividades conspirativas.

Una prueba de apoyo

Todo venía desde mucho tiempo atrás. En agosto de 1960, Cubela se había encontrado en Suiza con Carlos Tepedino, un viejo amigo de La Habana devenido agente de la CIA. Pasaron varios días juntos en Roma, donde conversaron repetidamente sobre la penetración comunista en América Latina y los peligros que eso representaba para Cuba.

En marzo de 1961 se repitió el encuentro de ambos en México. Se cree que para entonces Cubela, de quien la CIA conocía que había manifestado su disposición de matar a Fidel, era ya un agente reclutado por la Agencia o en proceso de reclutamiento. Las conversaciones se repitieron durante 1961 y 1962 en distintas ciudades europeas. En octubre de 1962, Cubela pidió la baja del Ejército Rebelde y al año siguiente comenzó a trabajar como médico en un hospital de La Habana.

El operativo AM/LASH comenzó a perfeccionarse en septiembre de 1963, en Brasil, donde Cubela asistía a los Juegos Universitarios que se desarrollaban en la ciudad de Porto Alegre. Allí se renovaron los contactos y Cubela manifestó sus deseos de marchar al exilio, pero fue convencido de asistir a un nuevo encuentro pocos días después, en París.

El interés de la CIA de mantener contactos frecuentes con el médico cubano radicaba en que en esos días estaba en marcha el operativo AM/TRUNK, que tenía como objetivo reclutar oficiales de las fuerzas armadas cubanas, a las que había pertenecido

Cubela, para alentarlos a encabezar un golpe militar. Entre los contactados estaba el ex comandante Ramón Guin Díaz, uno de los amigos íntimos de Cubela, que posteriormente fue miembro de distintos grupos que intentaron asesinar a Fidel Castro.

En septiembre de 1963, Rolando Cubela se entrevistó con distintos oficiales de la CIA, a quienes les manifestó que no quería seguir perdiendo tiempo e hizo una propuesta, para saber en definitiva si el proyecto de asesinar a Fidel contaba con el auspicio de la Casa Blanca. Cubela pidió entrevistarse de manera directa con Robert Kennedy.

En el cuartel general de la CIA en Washington, decidieron que viajara a París el propio Desmond Fitzgerald, jefe de los operativos clandestinos en Cuba, y asumiera la representación de Robert Kennedy, para darle a Cubela todas las garantías que exigía.

El plan discutido entre Cubela y Fitzgerald constaba de dos fases. La primera de ellas era el asesinato de Fidel. La segunda, un golpe de Estado, que sería respaldado por una invasión protegida por los Estados Unidos, a cargo de un grupo que se entrenaba en Nicaragua bajo el mando de Manuel Artime, un ex jefe de la Brigada 2506 de la fracasada invasión en Bahía de Cochinos.

Fitzgerald le explicó lo mejor que pudo a Cubela que una reunión con Robert Kennedy era imposible, pero que él se ofrecía como correo especial entre ambos.

En octubre de 1963, Fitzgerald le aseguró al ex comandante del Ejército Rebelde que como una muestra de buena fe, John Kennedy incluiría una frase escogida por Cubela en uno de sus próximos discursos. El jefe de la Casa Blanca cumplió lo prometido. En Miami, el 18 de noviembre, aseguró:

"El régimen de Fidel Castro está formado por una pequeña banda de conspiradores, que debe ser arrancada del poder".

Ésa era la frase que Cubela había entregado al oficial de la CIA. Ahora no le quedaban dudas. La siguiente reunión, ya confirmado el apoyo de los Kennedy, fue el 22 de noviembre en París, donde a Cubela le entregaron una jeringa con una aguja hipodérmica, conteniendo toxina de la peste negra, preparada por los servicios técnicos de la CIA. La persona inoculada con ese líquido moriría en pocos minutos.

Cubela, conocedor de los movimientos del líder cubano y de la efectividad de su custodia, le expresó a Fitzgerald que sería imposible acercarse tanto a Fidel Castro como para utilizar la aguja hipodérmica. Exigió para seguir adelante con el plan el abastecimiento de armas y dinero para el atentado.

Fitzgerald dio su acuerdo en todo. Lo que éste no sabía era que cuando tomara el avión de regreso a los Estados Unidos, le llegaría la noticia de que su amigo, John Fitzgerald Kennedy, había sido asesinado en una calle de Dallas.

Nada nuevo bajo el sol

Lo que podríamos denominar como "la historia oficial" dice que a partir de noviembre de 1963, con la llegada de Lyndon Johnson a la presidencia de los Estados Unidos, se puso punto final a los intentos de asesinato contra Fidel Castro. Las investigaciones de la seguridad cubana no muestran ese panorama.

Los archivos refieren que durante 1964 se desactivaron ocho complots para asesinar a Castro y que fueron detenidos sus participantes. Entre los mecanismos para el atentado se repetían los esquemas en la vía pública a través de emboscadas, en la Plaza de la Revolución durante actos públicos o cuando los dirigentes llegaban a sus oficinas.

Por la importancia de la preparación, merecen citarse dos de las tentativas.

Una en el mes de mayo del mencionado año, en la que un grupo perteneciente a la Unidad Militar 1422 se confabuló para tomar por asalto sus instalaciones, apoderarse del armamento y luego alzarse en armas. El proyecto incluía atraer a Fidel al cuartel, bajo el pretexto de plantearle demandas económicas y, una vez allí, asesinarlo. El plan fue descubierto y una vez más fueron detenidos sus participantes.

La otra tentativa, con alto grado de preparación, fue en el mes de septiembre, cuando se planteó el asesinato de Fidel durante una serie mundial de béisbol juvenil. El proyecto consistía en arrojar varias granadas a los palcos oficiales, en los cuales estaría instalado el dirigente. Al efectuarse las detenciones de los complotados, se les secuestraron tres metralletas y granadas de mano de fragmentación.

El operativo AM/LASH, mientras tanto, seguía normalmente su curso.

Tres meses después del asesinato de John Kennedy, Cubela y Artime se reunieron en Madrid para acordar cabos sueltos del plan que incluía el asesinato y la invasión a Cuba. Pero la reunión no fue a solas, ya que participaron los oficiales de la CIA que estaban a cargo de esa operación.

Cubela regresó a La Habana en febrero de 1965, con la mira telescópica que había solicitado. La fecha tentativa para llevar a cabo el plan se estableció entre junio y julio de ese año.

El lugar elegido para el atentado era una casa de descanso en el balneario de Varadero, a la que solía concurrir Fidel. Pero pasaban los meses y no se presentaba la ocasión.

Se fijó entonces una nueva fecha y lugar. El 13 de marzo de 1966, aniversario del asalto al palacio presidencial que en 1957 realizara un grupo de jóvenes. Todos los años Fidel asistía al acto conmemorativo que se llevaba a cabo en la Universidad de La Habana.

Los complotados se habían asegurado un departamento desde el cual se divisaba perfectamente la tribuna que se armaba en la escalinata de la Universidad.

A medida que transcurrían los días, Cubela y su grupo ajustaban los últimos detalles, entre ellos, la vía de escape para después de efectuado el atentado: planeaban huir a los Estados Unidos. Lo que no sabían es que todos sus pasos estaban controlados.

El 28 de febrero de 1966, Cubela y sus colaboradores fueron detenidos por la seguridad cubana. Quedaba así desmantelado el operativo AM/LASH, que durante más de cinco años intentó el derrocamiento y asesinato de Fidel Castro.

El informe del Departamento de Seguridad del Estado cubano subraya:

"Con la detención de Cubela y su grupo, concluyó uno de los proyectos subversivos más extensos e importantes fraguado por los Estados Unidos, contra la vida del dirigente cubano y su Revolución".

El tirador solitario

Como sabemos, John F. Kennedy fue víctima de un atentado criminal el 22 de noviembre de 1963, mientras circulaba por las calles de Dallas. Una hora después de los disparos, se declaraba oficialmente la muerte del presidente de la Nación.

El asesinato de Kennedy supuso un impacto tremendo en la sociedad norteamericana, y también en el resto del mundo. La primera impresión fue de sorpresa; luego sobrevino la zozobra y también el temor.

A estos efectos no fue ajeno el mismo Lyndon Johnson, sucesor del presidente asesinado. En los documentos que se conservan en la biblioteca que lleva su nombre, en la ciudad de Austin, Texas, producto de las grabaciones efectuadas en la Casa Blanca, pueden leerse varios testimonios sobre los momentos vividos después del asesinato. Johnson expresó:

"Lo que pasó por mi mente fue que si le habían disparado a nuestro presidente, ¿a quién dispararían después? ¿Qué estaba ocurriendo en Washington? Yo creía que era una conspiración. Planteé la cuestión, y casi todos los que estaban conmigo la plantearon también".

Pocos minutos después de que la policía de Dallas informara que había sido detenido Lee Harvey Oswald, presunto autor del magnicidio, en el cuartel general de la CIA, John Whitten, responsable de las acciones clandestinas en México, tenía en sus manos un expediente que le produjo, según sus propias palabras, "un efecto electrizante".

El texto, calificado como secreto, señalaba que un individuo identificado como Lee Harvey Oswald había preguntado telefónicamente a la embajada de la Unión Soviética en México si había novedades sobre la visa solicitada para viajar a Moscú. Todas las conversaciones mantenidas con la embajada soviética eran grabadas, con la inestimable colaboración de la policía mexicana.

De inmediato la CIA pidió todas las escuchas de México que pudieran tener como protagonista a Oswald. El 23 de noviembre, la Agencia supo que Oswald había visitado en México no sólo la embajada soviética, sino también la cubana, con la intención de trasladarse a La Habana hasta que le llegara la visa soviética. John McCone, el jefe de la CIA, comunicó la "conexión cubana" de Oswald al presidente Johnson.

El 24 de noviembre, mientras se organizaba el cortejo fúnebre que llevaría el ataúd de Kennedy al Capitolio, McCone informó a Johnson de la mayoría de los operativos de los Estados Unidos para derrocar a Castro. Pero el presidente seguía sin saber que en los últimos tres años se habían sucedido numerosos intentos de asesinato del líder cubano.

En el mismo momento en que el cortejo iniciaba el camino desde la Casa Blanca al Capitolio, Lee Harvey Oswald fue asesinado por Jack Ruby, frente a las cámaras de televisión, en el cuartel general de la policía de Dallas.

Robert, ¿lo sabía?

Lleno de interrogantes él mismo, Johnson recibía presiones para designar una comisión independiente que investigara el asesinato de su antecesor. Al principio rechazó esas opiniones, pero sorpresivamente, tres días después cambió de idea. Telefoneó al presidente del Tribunal Supremo, Earl Warren, y lo convenció de que encabezara la comisión investigadora.

Después de tener el nombre de Warren, Johnson llamó frenéticamente durante cinco horas a posibles integrantes de la comisión. Quería que la misma estuviese conformada antes del cierre de las ediciones de los periódicos vespertinos.

Dos nombres eran imprescindibles: Gerald Ford y Richard Rusell, los dos congresales que controlaban y más conocían de la CIA. El presidente recomendaba prudencia. No quería que se deslizaran comentarios irresponsables, en los que Kruschov apareciese como cómplice del asesinato. El senador Rusell fue directo en su respuesta:

"No sé si Kruschov, pero no me sorprendería que Castro tuviera algo que ver".

En la CIA se prendieron luces de alerta roja. Si la comisión investigadora descubría los intentos de asesinato de Castro, podría crearse la imagen de que el asesinato de Kennedy era una represalia de los cubanos. La revelación de los complots contra la vida de Castro podría tener también un efecto demoledor en Robert Kennedy. El responsable de las operaciones secretas, Richard Helms, y James Angletos, jefe de la contrainteligencia, se confabularon para no decir nada a la Comisión Warren y a los propios investigadores de la CIA sobre los complots para matar a Castro. Conocer esos intentos hubiese sido de vital importancia para analizar los acontecimientos que rodearon el asesinato de Kennedy.

A pesar de que el dictamen de la Comisión Warren, conocido diez meses después del asesinato, aseguraba que no hubo ningún complot, ni interno ni externo, y que Lee Harvey Oswald actuó solo, grabaciones desclasificadas de la Casa Blanca indican que las operaciones encubiertas de los hermanos Kennedy fueron un verdadero tormento para Lyndon Johnson. El presidente estaba convencido de que lo de Dallas había sido un castigo divino.

A principios de 1967, el presidente Johnson mantuvo una larga entrevista con el prestigioso periodista Drew Pearson. Así nació una nota titulada "El *carrousel* de Washington", en la que Pearson describía cómo bailaba la cabeza de Johnson cuando le comentó las relaciones entre los hombres de la CIA, la mafia y Robert Kennedy.

Johnson le pidió al fiscal general Ramsey Clark que descubriera qué había de cierto en todo aquello. El 3 de marzo, Pearson volvió a la carga asegurando en su columna que Johnson estaba sentado sobre una bomba política, ya que había numerosas fuentes que aseguraban que el senador Robert Kennedy podría haber aprobado un complot de asesinato, que luego se habría vuelto contra su propio hermano.

Los materiales de Pearson que se conservan en la Biblioteca Johnson fueron publicados en más de seiscientos periódicos de los Estados Unidos, con una tirada conjunta que implicaba cincuenta millones de lectores.

Tim Weiner, en su historia de la CIA, asegura que Bob Kennedy quedó helado cuando leyó la nota de Pearson. Al día siguiente, él y Richard Helms comieron juntos. El director de la CIA llevó la única copia del memorando secreto de la Agencia donde se vinculaba a Robert Kennedy con los complots mafiosos contra Castro.

Entretanto el FBI entregó a la Casa Blanca un informe lapidario, titulado "Las intenciones de la CIA de enviar matones a Cuba para asesinar a Castro". El texto era lo suficientemente claro: Robert Kennedy, en su carácter de Fiscal General, estaba al tanto de todo.

Después de reflexionar durante varias semanas, el presidente ordenó a la CIA llevar a cabo una investigación sobre estos hechos. El texto redactado por el inspector general de la Agencia, John Earman, reconoce:

"Varios agentes se sintieron sometidos a fuertes presiones de la administración Kennedy, para que hicieran algo con respecto a Castro, cuando es obvio que en lo que pensaban, era en matarlo".

Se hablaba de presiones, pero se guardaba silencio en cuanto a la autorización presidencial. El informe implicaba a todos los que habían sido jefes del servicio clandestino. Uno de ellos, Richard Helms, era ahora el jefe de la CIA. Después de hablar con el presidente y en un Comité del Senado, Helms guardó la única copia del expediente en su propia caja fuerte, donde permaneció sin que nadie la tocara durante varios años. Helms fue jefe de la CIA hasta febrero de 1973.

Sólo la verdad

La multiplicación de interrogantes desde distintos sectores que no confiaban en el dictamen de la Comisión Warren para conocer la verdad sobre el asesinato de Dallas, hizo que en 1976 comenzará a funcionar en la Cámara de Representantes un

Comité destinado a investigar el asesinato de John Kennedy. El informe final se conoció en 1979.

En un hecho de profunda relevancia, y a pedido del Comité que sesionaba en Washington, la seguridad cubana abrió sus archivos y se brindaron los datos requeridos.

En base a esos expedientes, se informó a las autoridades del Congreso norteamericano sobre cubanos radicados en Estados Unidos y elementos destacados del vínculo cubano-americano de la CIA y la mafia.

¿Por qué los cubanos tomaron esa decisión?

El general Fabián Escalante sostiene que ello estuvo motivado porque necesitaban defenderse de las acusaciones que pretendían asociar el magnicidio a su país. Asimismo, la información brindada intentaba demostrar que el complot que asesinó a Kennedy estaba vinculado a un eventual cambio de la política de la Casa Blanca hacia La Habana. Como elemento adicional, existía también la intención norteamericana de culpar a Castro con el fin de encontrar la excusa perfecta para agredir militarmente a Cuba.

En efecto, la lectura de los cables de agencias internacionales, distribuidos inmediatamente después del asesinato, muestran esa voluntad de vincular a Cuba con la muerte de Kennedy.

La agencia United Press lanzó dos despachos consecutivos. El primero destacaba la filiación política de Oswald:

"Dallas, 22 de noviembre. La policía detuvo hoy a Lee Harvey Oswald, identificado como representante del Comité Juego Limpio para Cuba, y principal sospechoso del asesinato de Kennedy".

El segundo se inscribía en la misma tendencia y agregaba que Oswald había pasado tres años en la Unión Soviética.

La Comisión de la Cámara de Representantes no llegó a conclusiones definitivas, pero abrió un abanico de interrogantes sobre los nuevos elementos aportados. Puede inferirse de ellos que antes del magnicidio de Dallas, hubo por lo menos dos intentos. Uno proyectado en Chicago, para los primeros días de noviembre, en el que estuvieron vinculados dos cubano-americanos: Homero Echeverría y Juan Antonio Blanco, quienes tenían relaciones con la Junta de Gobierno Cubana en el exilio, una organización con nexos mafiosos. El otro fue diseñado para el 18 de noviembre en Miami. A este intento fue asociado Gilberto Policarpo López.

A pesar de existir numerosas evidencias, ninguno de estos sospechosos fue indagado.

Pasaron muchos años desde la investigación en la Cámara de Representantes, hasta que los lectores del *New York Times* del 28 de noviembre de 1993, pudieron leer con sorpresa:

"Un oficial de seguridad cubano afirmó, en un documental transmitido por televisión, que el asesinato del presidente Kennedy era parte de una conspiración de gran alcance y que al presidente le dispararon dos contrarrevolucionarios cubanos y tres *gangsters*".

El diario neoyorquino hacía mención al trabajo del director brasileño Marco Antonio Cury que había emitido la televisión norteamericana, y agregaba:

"El oficial cubano, general Fabián Escalante Font, dijo que las investigaciones de su gobierno mostraron que en realidad era una conspiración de proporciones nacionales, en que muchas personas supieron lo que iba a pasar, mientras otros se encargaron de apretar el gatillo. Según las investigaciones, los disparos fueron de cuatro a cinco desde varias posiciones".

El *New York Times* señalaba también que, según el oficial cubano, los conspiradores provenían del crimen organizado, de los círculos contrarrevolucionarios cubanos y de la CIA.

Queda una pregunta insoslayable: ¿quién fue entonces y qué papel jugó Oswald? Es el mismo Fabián Escalante el que da las respuestas:

"Lee Harvey Oswald fue sin dudas agente o confidente de alguno de los servicios secretos norteamericanos; participó en el crimen, pero no pudo ser el único, en tanto que el operativo magnicida resultaba una operación compleja para ser ejecutada por una sola persona. Oswald se creó una leyenda de simpatizante de la Revolución Cubana, cuando existen elementos probados de su anticomunismo feroz y su postura contrarrevolucionaria. Oswald trató infructuosamente de viajar a Cuba desde México, con el objeto de documentar una estadía, que fuese después útil a los fines de la inculpación. En todos los pasos de Oswald, a partir de su arribo a Nueva Orleans en abril de 1963, van a estar presentes agentes de la CIA de origen cubano, todos con antecedentes terroristas. En ese proceso, Oswald se relacionaría también con oficiales de la CIA, que estuvieron estrechamente vinculados con operaciones anticubanas desde 1959".

Los nombres integrantes del vínculo cubano-americano CIA-mafia que aparecen en las investigaciones, y que nunca fueron llamados a declarar, son numerosos. Entre ellos puede citarse a Eladio del Valle Gutiérrez, quien fue miembro de la policía secreta y de la inteligencia militar de Batista. En 1966, cuando empezó la investigación acerca del asesinato de Kennedy, dirigida por Jim Garrison, fiscal de Nueva Orleans, Del Valle apareció asesinado a machetazos en Miami. Lo mismo le ocurrió a su amigo David Ferrie, asesinado en Nueva Orleans.

El otro nombre es el de Herminio Díaz, quien provenía de las bandas cubanas de pandilleros de los años 40. Estuvo involucrado en un intento de asesinato al presidente José Figueres de Costa Rica. En 1966 Herminio Díaz resultó muerto al intentar infiltrarse en Cuba, para participar en un proyecto de asesinato contra Fidel Castro.

Los nombres de Del Valle Gutiérrez y Herminio Díaz no son los únicos, ni todos están muertos.

Pronto los latinoamericanos tendrían noticias de ellos.

Capítulo 8
TERRORISMO DE EXPORTACIÓN

"Puesto que usted ha decidido que nuestra suerte está echada, tengo el placer de despedirme como los gladiadores romanos que iban a combatir en el circo: *Salve, César, los que van a morir te saludan*. Sólo lamento que no podría siquiera verle la cara, porque en ese caso, usted estaría a miles de kilómetros de distancia, y yo estaré en la primera línea para morir combatiendo en defensa de mi patria."

Fidel Castro

El año 1969 fue particularmente activo en cuanto a los intentos de eliminación física de Fidel Castro. Los órganos de seguridad cubanos reportan prácticamente un plan cada treinta días; entre ellos, algunos que alcanzaron un grado de preparación tal que en efecto pudieron poner en peligro la vida del líder cubano, de los que sumariamente citaremos tres.

Como en años anteriores, el plan maestro de todos se diseñaba en Miami y, desde esa ciudad, se estructuraba la logística de dinero y armas.

En junio de 1969, Armando Fleites, miembro de la organización *Alpha 66*, radicada en los Estados Unidos, se contactó con Guillermo del Carmen Álvarez Teijeiros, quien proyectaba asesinar a Castro durante sus movimientos por sitios públicos. Esa organización le había prometido a Álvarez Teijeiros sacarlo del país a él y su familia, tan pronto ejecutara el crimen. Pero el frustrado asesino fue detenido en posesión de una pistola 45.

En noviembre del mismo año, miembros del denominado Frente Nacional Democrático, alentados por sus dirigentes radicados en los Estados Unidos, planearon asesinar a Fidel durante una visita que éste realizaría a un establecimiento de la provincia de La Habana, donde se llevaban a cabo investigaciones genéticas. Pero antes de que materializaran sus planes, ocho de los complotados fueron detenidos portando varias escopetas y dos pistolas calibre 45.

Por último, casi a finales del año, integrantes de la organización Rescate, que dirigía Manuel Antonio de Varona desde los Estados Unidos, se complotaron para asesinar a Castro en una de sus visitas a la ciudad de Santa Clara. Pero mientras se contactaban con vecinos de la localidad para estudiar el terreno y organizar el operativo, fueron detenidos.

En 1970, los proyectos de asesinato bajaron en frecuencia, pero de ninguna manera desaparecieron.

Ya para entonces en Washington, otro país se sumaba a Cuba como foco de preocupación en Latinoamérica. El 4 de septiembre de 1970, en Chile, Salvador Allende ganaba las elecciones con el 37% de los votos.

Complot en los Andes

Gracias a documentos desclasificados a partir de 1999, que hoy están disponibles en distintas páginas de Internet, puede seguirse detalladamente el intercambio de opiniones entre la Casa Blanca y la CIA sobre el tema Chile. No obstante, enumeraremos algunos datos, previos a la asunción, a grandes rasgos.

Richard Nixon le ordenó al jefe de la CIA que organizara un golpe militar e impidiera la asunción de Allende. Podía disponer para ello de hasta 10 millones de dólares.

El embajador norteamericano en Santiago le cablegrafió a Kissinger, entonces Secretario de Estado, expresándole sus dudas acerca del éxito del plan. Lo alertaba incluso sobre un fracaso parecido al de Bahía de Cochinos.

El elegido para dar el golpe fue el general Viaux, quien después de muchas desinteligencias terminó asesinando al general René Schneider, un militar leal a la Constitución. Casi al mismo tiempo que se conocía la muerte de Schneider, Allende era confirmado por el Congreso como presidente de la Nación.

Fue imposible disimular la participación de Estados Unidos en ese asesinato. A ello se le sumaron los denominados "Documentos Secretos de la ITT", en los cuales quedaban en evidencia los aportes, millonarios en dólares, de empresas que veían amenazados sus intereses por el nuevo gobierno, y el contacto fluido de sus directivos con el propio Henry Kissinger.

Fue precisamente durante el breve gobierno de Allende cuando se organizó uno de los más serios planes para asesinar a Fidel Castro. En noviembre de 1971, el líder cubano viajó a Chile. Y en esa ocasión, la CIA planificó cuatro atentados.

En los preparativos participaron, entre otros, David Phillips, oficial de la Agencia; Antonio Veciana Blanch y Luis Posadas Carriles, dos miembros de la conexión terrorista cubano-americana.

El primer atentado estuvo diseñado para efectuarse cuando Fidel saludara desde los balcones del Palacio de la Moneda. El plan era dispararle desde el hotel Hilton, ubicado en uno de los costados de la sede presidencial. No se llevó a cabo.

Otro de los atentados se organizó para la ocasión en que Castro brindara una conferencia de prensa. Varios años después, en un reportaje publicado por el periódico *Juventud Rebelde*, Antonio Veciana brindaría pormenores del complot, lo que nos permite reconstruirlo desde adentro.

Seis meses antes de la visita, Veciana se enteró detalladamente del viaje por una infidencia de un funcionario del gobierno chileno. Apenas conocida la fecha del mismo, fueron entrenados dos individuos como camarógrafos, y éstos ingresaron al país con documentos falsos. Ambos, por su supuesta condición de cronistas, consiguieron credenciales para ingresar al palacio presidencial. El plan era asesinar a Castro en plena conferencia de prensa, con un revólver disimulado en una cámara de televisión. Los dos complotados pidieron un seguro de vida para sus familias, lo que se les concedió. Avanzado el plan, quedó definido que sólo uno de ellos efectuaría el o los disparos. Pero ni bien llegó Fidel a Chile, la conjura comenzó a flaquear.

Diego Medina, uno de los falsos camarógrafos, se escapó con rumbo al Perú. El otro, Marcos Rodríguez, cuando llegó el momento del atentado, adujo que tenía apendicitis. Los médicos no constataron la gravedad de la dolencia. Veciana reconocería luego que todo había fracasado "por falta de cojones".

Dos de los planes habían naufragado. Para el viaje de regreso a Cuba se planearon dos atentados más. Uno en el aeropuerto de Lima, donde dos agentes de la CIA le arrojarían a Castro artefactos explosivos. El otro, en Quito, donde debían dispararle con un fusil desde un avión cercano al área donde se estacionaría la aeronave cubana que transportaría a Fidel.

Estos dos atentados en los aeropuertos fracasaron porque los ejecutores designados se atemorizaron frente a lo que sería la respuesta de la seguridad cubana.

Pero fuera de esos cuatro hubo otro atentado más, y estuvo vinculado a la relación de amistad que unió a las figuras de Salvador Allende y Fidel Castro.

En septiembre de 1973, Lázaro Hernández Valdés fue detenido en La Habana cuando intentaba disparar contra el dirigente cubano, durante el recorrido de bienvenida al presidente chileno. La emboscada estaba preparada en cercanías del aeropuerto, para cuando Castro y Allende circularan en un automóvil descapotable. El francotirador poseía un fusil con proyectiles que contenían cianuro.

Las alas del Cóndor

Los planes de la CIA contra Allende que fracasaron en 1970, pudieron concretarse tres años después. El golpe se produjo el 11 de septiembre de 1973, encabezado por Augusto Pinochet. Salvador Allende, como se sabe, murió en su puesto de defensa de la democracia, en su despacho.

Tim Weiner, en su ya citada historia de la CIA, señala que varios años después del golpe, la Agencia reconoció ante un Comité del Congreso que algunos de sus contactos en Chile habían participado activamente en graves violaciones de los derechos humanos. Uno de esos contactos era el general Manuel Contreras, jefe de la inteligencia militar chilena y hombre a sueldo de la CIA.

Por esos años, la CIA había desactivado la gran base operativa denominada Onda, situada en Miami. La decisión fue tomada en función de los nuevos desafíos que la Agencia debía enfrentar, en el marco de un incremento de las luchas sociales y políticas, que sacudían a Latinoamérica y prefiguraban un escenario revolucionario en el continente.

Al desarmarse la gigantesca base de Miami, quedó disponible lo que puede denominarse "mano de obra desocupada". Eran cientos de hombres entrenados para cometer actos terroristas, que comenzaron a trabajar al servicio de las dictaduras militares de Latinoamérica. Desde el cuartel general de la CIA, en Langley, Virginia, se monitoreaba la nueva distribución de fuerzas.

En este nuevo diseño de la represión estructurada a nivel continental, los cubanos entrenados por la CIA en Miami fueron enviados a numerosos países en calidad de asesores, y transmitieron su experiencia para adiestrar y organizar los cuerpos represivos.

Así nació la Operación Cóndor (que ya mencionamos en relación al asesinato de João Goulart), ideada por la CIA e integrada por los aparatos de inteligencia de Chile, Argentina, Venezuela, Paraguay, Uruguay, Brasil y Bolivia.

En esta estructura jugó un papel destacado el Movimiento Nacionalista Cubano, organización que se acopló a un plan del gobierno de Pinochet. Dicho plan incluía el reconocimiento de un gobierno cubano en el exilio, con base en Chile, y al mismo tiempo Pinochet se comprometía a suministrar armas, explosivos y refugio para fugitivos.

El Movimiento Nacionalista Cubano participó en varios atentados al servicio de la dictadura chilena, entre ellos el asesinato del general Carlos Prats y su esposa en Buenos Aires; el intento de asesinato del dirigente democristiano Bernardo Leighton y su esposa en Roma; la ejecución de Orlando Letelier, ex canciller chileno y su secretaria, Ron Moffit, en Washington...

Por el asesinato de Orlando Letelier, calificado por la prensa estadounidense como uno de los peores actos de terrorismo de Estado en territorio norteamericano, fueron encausados por el FBI cinco sospechosos de origen cubano: los hermanos Guillermo e Ignacio Novo Sampol; José Dionisio Suárez Esquivel; Virgilio Pablo Paz Romero y Alvin Ross Díaz, todos pertenecientes al Movimiento Nacionalista Cubano.

Los hermanos Novo Sampol no eran desconocidos para el FBI y menos aún para la CIA. Ambos habían sido entrenados para la invasión a Bahía de los Cochinos, aunque finalmente su grupo no participó del desembarco.

Guillermo Novo Sampol y Alvin Ross Díaz fueron condenados inicialmente a cadena perpetua, pero apelaron la sentencia y obtuvieron la libertad.

Otro de los cubanos que se contactó con la dictadura chilena fue Orlando Bosch Ávila, condenado a diez años de prisión por disparar con una *bazooka*, en 1968, contra un buque polaco anclado en el puerto de Miami. Bosch obtuvo la libertad condicional en 1972, abandonó ilegalmente los Estados Unidos y comenzó una campaña financiera para recaudar 10 millones de dólares. Una tercera parte de esa suma sería adjudicada como recompensa para quien asesinara a Fidel Castro.

Un vuelo trágico

Un personaje sórdido de la lista de cubanos de la CIA que actuaron en el Operativo Cóndor es Luis Posadas Carriles, quien reconoció en un reportaje publicado en *The New York Times*, en julio de 1988, la autoría de numerosos actos terroristas. La justicia de Venezuela y Cuba lo han acusado de ser el responsable, junto con Orlando Bosch, del atentado al vuelo de Cubana de Aviación, el 6 de octubre de 1976, en el que perecieron 73 pasajeros: 57 cubanos, 11 guyaneses y 5 coreanos.

Este atentado debe inscribirse entre las acciones iniciales de CORU (Coordinación de Organizaciones Revolucionarias Unidas), fundada el 11 de junio de 1976 y destinada a la planificación de una amplia actividad terrorista por los caminos del mundo.

Como parte de esta nueva etapa del exilio cubano, que mantiene estrechas vinculaciones con la CIA, surge una serie de atentados programados para ser ejecutados contra Fidel Castro fuera de la isla.

En septiembre de 1976, la CIA orientó a uno de sus agentes en Cuba para recoger toda la información posible sobre el viaje que emprendería Fidel a África, con motivo del primer aniversario de la revolución angolana. El plan terrorista incluía una serie de acciones que serían ejecutadas por un comando encabezado por Luis Posadas Carriles y Orlando Bosch. El atentado a Fidel fue desactivado por la seguridad cubana, que no pudo, lamentablemente, prever que dentro del plan se incluía la voladura del aparato de Cubana de Aviación sobre Barbados.

En efecto, aquel fatídico 6 de octubre de 1976 fue destruido en pleno vuelo, luego de despegar del aeropuerto internacional de Seawell, en Bridgetown, capital de Barbados, el avión que hacía el viaje regular Nro 455, de Cubana de Aviación.

La nave venía de Puerto España, capital de Trinidad y Tobago, y contaba entre sus pasajeros a 24 integrantes del equipo juvenil cubano de esgrima, que había ganado todas las medallas de oro en el Campeonato Centroamericano y del Caribe, efectuado en Venezuela. En general, el promedio de edad de los muertos rondaba los treinta años. Nueve minutos luego del despegue tuvo lugar la primera explosión, y cuatro minutos después la segunda, que fue la que definitivamente derribó a la nave.

Luego, en el hotel Port Spain, en Trinidad y Tobago, fueron detenidos dos venezolanos: Hernán Ricardo y Freddy Lugo. Éstos habían viajado en ese avión hasta la capital de Barbados, y de allí abordaron otro hasta Puerto España. Una vez frente a la policía, ambos intercambiaron acusaciones sobre quién había puesto la bomba. Los dos fueron deportados a Venezuela, país donde fueron detenidos Orlando Bosch y Luis Posadas Carriles, ex miembro de la policía de Batista. Ambos fueron señalados como autores intelectuales del crimen.

Recién en 1986, Ricardo y Freddy fueron condenados a veinte años de prisión. No hubo sin embargo sentencia para Posadas Carriles, que "había logrado fugarse" once meses antes. Se sabe que la distracción que permitió su fuga tuvo un costo de cerca de 50.000 dólares. Esto no le impidió seguir con sus actividades desde El Salvador.

El movimiento continuo

En octubre de 1979, dos dirigentes de la organización *Alpha 66* proyectaban asesinar a Castro cuando asistiera a las sesiones de Naciones Unidas en su carácter de presidente del Movimiento de No Alineados. No obstante, el complot fue neutralizado por el FBI.

En 1985, fuentes de la inteligencia cubana supieron que un comando, integrado por nicaragüenses antisandinistas y cubanos residentes en La Florida, planeaba derribar el avión que conduciría a Fidel Castro a la toma de posesión del nuevo presidente de Nicaragua, Daniel Ortega. El atentado consistía en disparar un cohete tierra-aire en momentos en que el avión sobrevolara la capital nicaragüense. Una vez más, el proyecto fue frustrado.

En abril de 1987, fue neutralizado un intento de asesinato durante la visita de Fidel Castro a España, donde visitaría la aldea natal de sus padres.

En julio de ese mismo año, se frustró un atentado diseñado para asesinar a Fidel en el transcurso de un viaje a Brasil. En el proyecto participaban el grupo Cuba Independiente y miembros de la policía política venezolana, los que brindaron el entrenamiento del grupo terrorista.

Al año siguiente, 1988, en el mes de diciembre, oficiales de la inteligencia cubana conocieron la existencia de un plan de asesinato para cuando Fidel asistiese en Caracas a la toma de posesión del presidente Carlos Andrés Pérez. Lo curioso para los investigadores fue enterarse de que el proyecto había sido diseñado por Orlando Bosch, ¡en esos momentos detenido en una cárcel venezolana!

A partir de 1994, se sucedieron una serie de nuevos complots con el recurrente objetivo de asesinar a Fidel Castro; esta vez, durante sus viajes a los países donde se realizaban las Cumbres Iberoamericanas.

En ese año, en que la sede fue Cartagena de Indias, Colombia, actuaron en la planificación del complot Luis Posadas Carriles y Féliz Rodríguez Mendigutía, un agente de la CIA que colaboró en el asesinato del Che Guevara en Bolivia.

En 1995, en Argentina, en la ciudad de Bariloche, las fuertes medidas de seguridad impidieron que se llevara a cabo el plan de asesinato que había apoyado y financiado la Fundación Nacional Cubano-Americana.

En 1997, Luis Posadas Carriles pensó que la ocasión se le presentaba en Isla Margarita, Venezuela. El proyecto fracasó cuando fueron capturados los terroristas que tripulaban una embarcación, en las cercanías de las costas de Puerto Rico. En el momento de la detención fue secuestrado un fusil calibre 50, propiedad de Francisco Hernández, directivo de la Fundación Nacional Cubano-Americana.

Uno de los planes de atentado de esta etapa, que causó gran conmoción política, fue el organizado en noviembre del año 2000, en Panamá, en ocasión de la X Cumbre de Iberoamérica.

En esa oportunidad, un grupo comandado por Luis Posadas Carriles y Guillermo Novo Sampol, siguiendo instrucciones de la Fundación Nacional Cubano-Americana, planeaba dinamitar el paraninfo de la Universidad, donde se realizaría un acto público con la presencia de Fidel.

Las diligentes autoridades cubanas informaron sobre el complot, y los terroristas fueron detenidos y puestos a disposición de la justicia panameña. Tres años más tarde, y a pesar de haber sido condenados, la presidenta Mireya Moscoso concedió el indulto a los responsables, horas antes de concluir su mandato. El gobierno cubano denunció que esa decisión de Moscoso había obedecido a una exigencia del gobierno norteamericano.

Epílogo

Al momento de la redacción de estas líneas, la Revolución Cubana acaba de cumplir 50 años. Durante estas cinco décadas ocuparon la Casa Blanca 11 presidentes y se sucedieron 16 jefes de la CIA.

A través del trabajo de historiadores e investigadores, muchos de ellos estadounidenses, catedráticos de renombre o reconocidos periodistas, la opinión pública mundial conoció que responsables de la Agencia Central de Inteligencia diagramaron con detalles precisos, los medios para matar al presidente de un país extranjero. Entre quienes fueron convocados para materializar este objetivo no faltaron, como vimos, elementos de la mafia.

En su imprescindible libro *Acción Ejecutiva*, Fabián Escalante señala 634 complots para asesinar a Fidel Castro, entre los años 1959 y 2000. No se conoce que desde la Casa Blanca hayan llegado objeciones a estos planes.

Todos los recursos fueron utilizados, incluso la invasión armada, que culminó con la derrota humillante de los invasores en Bahía de Cochinos.

Cuba pagó por todo ello un alto precio. Recuerdo la mañana del 7 de octubre de 2001, cuando con un grupo de periodistas argentinos, entre ellos el reconocido Miguel Bonasso, escuchábamos a Fidel Castro en la Plaza de la Revolución, rindiendo homenaje a las víctimas del atentado al avión de Cubana sobre la isla de Barbados.

En su discurso, Castro enumeraba las víctimas cubanas de actos terroristas a lo largo de todo el mundo. Entre 1974 y 1976, se constataron 202 ataques a objetivos cubanos en numerosos países.

En el marco de los distintos proyectos de derrocamiento del gobierno de Cuba y los intentos de asesinato de Fidel Castro, se incluyeron también episodios de guerra bacteriológica, destinados a destruir la economía cubana.

En efecto, según datos que manejan fuentes cubanas, se introdujeron plagas como la roya de la caña, el moho azul del tabaco, la broca del café y el ácaro del arroz.

En el aspecto humano, las mismas fuentes señalan que la epidemia del dengue hemorrágico, introducida en Cuba a través de una acción terrorista, afectó a 344.203 individuos. De ellos, fallecieron 158, incluidos 101 niños, la mayoría, por cierto.

Tampoco ha tenido éxito, en estos cincuenta años, el intento de aislamiento diplomático de Cuba. En la década del 60, numerosos países, con honrosas excepciones, aceptaron los dictados de Estados Unidos, expulsaron a Cuba de la OEA y rompieron relaciones con la Isla. Hoy ese escenario ha cambiado totalmente y América Latina en pleno ha restablecido los vínculos diplomáticos con La Habana. En la reciente Asamblea de la OEA en San Pedro Sula, Honduras, por aclamación se dejó sin efecto la resolución de 1962, que expulsaba a Cuba del organismo interamericano. El gobierno cubano señaló que esa decisión era un triunfo de los pueblos latinoamericanos, pero que Cuba no pidió el reingreso y que por ahora no piensa hacerlo.

El bloqueo impuesto por la Administración Kennedy, en febrero de 1962, recoge año a año, con excepción de Estados Unidos e Israel, el rechazo del conjunto de los países que integran las Naciones Unidas y que, a través de una resolución de su Asamblea General, exigen el levantamiento de la medida.

En estos años el terrorismo ha ensombrecido la vida de Latinoamérica.

En distintos países, Argentina, Uruguay y Chile entre ellos, se transitan hoy caminos judiciales para castigar a quienes han secuestrado, torturado y asesinado a miles de ciudadanos. En estas tropelías, y a través del Operativo Cóndor, han participado numerosos cubanos de nacimiento, que optaron por ser funcionales a los planes de la CIA. Entre éstos, se encuentran siniestros personajes, como el aludido Luis Posadas Carriles, que goza de una indisimulada protección de las autoridades norteamericanas para evitar el castigo judicial de sus actos terroristas, los cuales ha reconocido y de los que incluso se ha jactado en la propia prensa norteamericana.

Como contrapartida y con desigual diligencia, cinco jóvenes cubanos: Gerardo Hernández, Ramón Labañino, Fernando González, René González y Antonio Guerrero, fueron detenidos en 1998, en los Estados Unidos, acusados de espionaje. Un juicio entablado en la ciudad de Miami los condenó a severas penas que en el caso de Gerardo Hernández, llega a dos cadenas perpetuas.

La pluma de Gabriel García Márquez, en artículos publicados en *El Tiempo*, de Bogotá, puso claridad sobre lo que ocurrió realmente.

Fidel Castro tuvo la iniciativa de enviar a través del escritor, un mensaje al presidente Clinton, cuyo contenido reflejaba la realidad del terrorismo contra Cuba, que se organizaba, financiaba y ejecutaba desde Estados Unidos. El mensaje redactado personalmente por el dirigente cubano, decía en su párrafo inicial:

"Un asunto importante. Se mantienen planes de actividad terrorista contra Cuba, pagados por la Fundación Cubano-Norteamericana y usando mercenarios centroamericanos. Se han realizado ya dos nuevos intentos de hacer estallar bombas en nuestros centros turísticos, antes y después de la visita del Papa".

En el segundo párrafo señalaba:

"Ahora están planeando y dando ya pasos para hacer estallar bombas en aviones de las líneas aéreas cubanas y de otro país, que viajen a Cuba trayendo y llevando turistas desde y hacia países centroamericanos".

García Márquez entregó la carta a un colaborador cercano de Clinton.

Como consecuencia de esta misión de "Gabo", los días 16 y 17 de junio de 1998 se efectuaron varias reuniones conjuntas en La Habana entre expertos cubanos y oficiales norteamericanos del FBI, sobre el tema de los planes terroristas. Entonces le fue entregada a la delegación investigadora norteamericana abundante información documental y testimonial.

La Seguridad del Estado cubano entregó al FBI 230 páginas sobre las actividades terroristas contra Cuba, cinco videocasetes con conversaciones e informaciones transmitidas por las cadenas de televisión sobre acciones terroristas contra la Isla, y ocho casetes de audio de conversaciones telefónicas entre terroristas centroamericanos detenidos en La Habana y sus mentores en el exterior.

El FBI reconoció entonces estar impresionado por la abundancia de pruebas y afirmó que daría respuesta en dos semanas. La única respuesta que han ofrecido las autoridades norteamericanas, hasta hoy, ha sido el apresamiento de los cinco jóvenes cubanos, que se produjo el 12 de septiembre de 1998, o sea, casi al cumplirse los tres meses de la estancia de las autoridades del FBI en La Habana.

Un documento publicado por la Cancillería cubana se pregunta:

"¿Cómo acusar de espías a los cinco cubanos? ¿Cuándo se ha visto que informaciones procedentes de espías se comparten con la nación espiada? Por tanto es evidente que se compartió con el gobierno norteamericano la esencia de las acciones de estos cubanos en la ciudad de Miami, y que Cuba, por principios muy sólidos no practica el espionaje a nivel internacional. La misión de los cinco Héroes cubanos tuvo una connotación mayor que el simple acto de monitoreo y de prevención de las acciones de terrorismo, ya que estuvo dirigida también a evitar posibles incidentes planeados por la mafia que sirvieran de pretexto para una agresión armada de Estados Unidos contra Cuba".

Después de cinco décadas, como puede apreciarse, subsisten resabios del enfrentamiento de los años iniciales de la Revolución, que hoy, en el siglo XXI, parecen anacrónicos. En este escenario, en ámbitos diplomáticos y académicos se discute la posibilidad de un cambio en la política de la Casa Blanca hacia Cuba.

Entretanto, en algún lugar de La Habana, y mientras se concluyen estos últimos renglones, Fidel Castro sigue con sus reflexiones, pensando seguramente que su mayor mérito es estar vivo.

Apéndice

FOTOGRAFÍAS
CRONOLOGÍA SUMARIA

BLANCO MÓVIL

Archivos Gobierno de Cuba.

Un joven Castro luego del asalto al Cuartel Moncada (1953), mientras le toman declaración.
Eran momentos en que la dictadura de Fulgencio Batista sembraba el terror en la sociedad cubana.

Fidel en uno de sus extendidos discursos en La Habana (1978). No se conoce el caso de ningún otro jefe de Estado que haya sorteado tal cantidad de complots y atentados personales.

Marcelo Montecinos

Archivos Presidencia de la Nación Argentina.

El mandatario cubano en 2009, junto a la presidenta de Argentina, Cristina Fernández de Kirchner. Muchos también fueron los rumores sobre su salud a lo largo de los años.

"Operación Éxito"

Jacobo Arbenz (1913-1971). Ejerció la presidencia de Guatemala y fue derrocado por un golpe de Estado orquestado por la CIA.

Compañeros. El agente de la CIA Enno Hobing y el embajador de los Estados Unidos en Guatemala, John Peurifoy.

El militar golpista Carlos Castillo Armas (1914-1957). Tratando de "lavar" su imagen se le concedió un Doctorado Honoris Causa de la Universidad de Columbia. El escritor venezolano Rómulo Gallegos, que lo había recibido antes, renunció al mismo en señal de protesta.

LLAMEN A LA MAFIA

Meyer Lansky (1902-1983) tenía intereses en el mundo del juego de Cuba durante el gobierno de Batista, con quien construyó el Hotel Riviera.

El mafioso Lucky Luciano (1897-1962), quien prestó dudosos servicios "patrióticos" a los Estados Unidos.

Sam Giancana (1908-1975), que brindó a la CIA su experiencia en tareas de "limpieza", mientras el FBI se desvivía por enjaularlo.

De anteojos, Santos Traficante (1914-1987) es detenido en La Habana. Fue pieza clave en varios atentados contra Castro.

EN FAMILIA

Fotografía del 22 de enero de 1963, en la
Ciudad de México. Reunidos en el *night
club* "La Reforma", de izquierda a derecha:
Félix Rodríguez, agente de la CIA implicado
luego en el asesinato del Che; Porter Gross,
agente de inteligencia y futuro director de la
CIA; Barry Seal, piloto de la CIA y traficante
de drogas; Guillermo Novo Sampol e Ignacio
Novo Sampol, que atentaron contra Cuba y
se vieron envueltos en el crimen de Orlando
Letelier; Carlos Alberto de Diego Aday; el
mafioso Richard Cain; Arsenio Felipe de
Diego Aday; Tosh Pumlee, piloto de la CIA,
y Virgilio González, agente contratado por la
Agencia. Además de atentar contra Castro,
varios de ellos estarían implicados en la
muerte de Kennedy.

CRISIS DE LOS MISILES

Archivos de la CIA.

Imagen tomada por un avión espía U2, sobre las bases de misiles en territorio cubano.

Cecil Stoughton. Biblioteca J. F. Kennedy. Boston. EE.UU.

Octubre de 1962. En plena Crisis de los Misiles, Kennedy reúne al Comité Ejecutivo del Consejo Nacional de Seguridad. Allí estaba también el director de la CIA, John McCone. En medio del polvorín, la Agencia ya había puesto en marcha su Operación Cupido.

RÉPROBOS Y CONJURADOS

Oficina de Asuntos Históricos de Cuba.

1959. El primer presidente del gobierno revolucionario, Manuel Urrutia Lleó (1908-1981), efectúa declaraciones flanqueado por Ernesto Guevara y Camilo Cienfuegos. Se exilió en los Estados Unidos, pero por su anterior gestión tampoco fue muy aceptado entre los otros anticastristas.

Rolando Masferrer (1918-1975). Había peleado a favor de los republicanos españoles, pero luego fue un hombre violento al servicio de Batista. En 1959 falló en su intento de asesinar a Castro.

De izquierda a derecha: Eugenio Martínez, de actividades conspirativas en Cuba y a quien se relacionó con el asesinato de Kennedy; John Martino, el elegido por Giancana para atentar contra Castro en el Central Park de Nueva York; Eddie Bayo, que emigró a Miami y ayudó a establecer Alpha/66; y Virgilio González, de participación en la Operación 40, de la CIA. Relacionado con la invasión a Bahía de Cochinos, éste fue arrestado en EE.UU. por su participación en el escándalo *Watergate*.

Archivos Gobierno Federal. EE.UU.

Luis Posadas Carriles (n. 1928) con uniforme del ejército de los Estados Unidos, en 1962. Trabajó para la policía de Batista. Reconoció haber atentado con explosivos en varios hoteles de La Habana. Inculpado por la voladura del avión de Cubana, logró "fugarse" de prisión. En 2000 intentó colocar una bomba en la Universidad de Panamá, donde hablaría Fidel Castro.

Encuentros en La Habana

Antonio Milena. Agencia Brasil/2003.

El presidente brasileño Ignacio "Lula" Da Silva en uno de sus viajes a Cuba. El alto grado de exposición pública de Castro ha sido, durante décadas, un acicate para concebir atentados en su contra.

En el centro, Fabián Escalante, fundador y ex jefe del Servicio de Seguridad cubano, y co-protagonista de la neutralización de numerosos atentados. A la izquierda, Jorge Obeid, gobernador de la provincia de Santa Fe, Argentina. A la derecha, "Coco" López, autor de esta obra.

CRONOLOGÍA SUMARIA

1958

En los últimos días de diciembre el FBI y el gobierno de Fulgencio Batista organizaron un atentado, para lo cual infiltraron en plena Sierra Maestra a Alan Robert Nye, ciudadano norteamericano, quien fue capturado por combatientes del Ejército Rebelde y juzgado por tribunales cubanos.

1959

El agente de la CIA Frank Sturgis, con la complicidad de Pedro Luis Díaz Lanz, jefe de la Fuerza Aérea cubana, planeó asesinar a Fidel colocando una bomba en la instalación militar. El complot fracasó a causa de las medidas de seguridad.

1960

Con la colaboración de elementos de la mafia, la CIA organizó diversos atentados durante la visita de Fidel a Nueva York para asistir al período de sesiones de la ONU. En uno de ellos, el *gangster* norteamericano Walter Martino colocó un explosivo debajo de la tribuna que debía utilizar el dirigente cubano en el Central Park. El artefacto fue desactivado por la policía de Nueva York.

1961

En los primeros meses del año, la CIA y la mafia intentaron varias veces envenenar a Fidel con la complicidad de empleados de restaurantes y hoteles a los cuales solía concurrir el líder cubano.

1962

El mecánico de aviación Humberto Noble, trabajador de la base aérea de Baracoa, intentó colocar una bomba en el avión que utilizaba Fidel para sus viajes al interior del país. Noble fue detenido y neutralizado el proyecto criminal.

1963

Desmond Fitzgerald, jefe de la Sección Asuntos Cubanos de la CIA, planeó asesinar a Fidel tratando de hacerle llegar, a través de un abogado norteamericano, un traje de buzo infectado con el bacilo de la tuberculosis. Otro proyecto implementado por Fitzgerald consistía en colocar un caracol explosivo en la zona donde aquél acostumbraba practicar pesca submarina.

En el mes de marzo Fidel estuvo a punto de ser envenenado al concurrir a la cafetería del hotel Habana Libre. La cápsula que un empleado debía colocar en un batido de chocolate se rompió dentro de la nevera donde estaba escondida.

1968
Es detenido Rafael Domingo Morejón, quien planeaba un atentado suicida contra Fidel durante el celebración de un nuevo aniversario del 26 de julio en la ciudad de Santa Clara. A Morejón le fue secuestrada una pistola calibre 45.

Un grupo contrarrevolucionario fue detenido con granadas de fragmentación en su poder, con las cuales planeaban atentar contra Fidel en un acto aniversario de los Comités de Defensa de la Revolución, CDR, que se realizaría en la Plaza de la Revolución.

1971
En el mes de noviembre Castro visitó Chile invitado por el presidente Salvador Allende. En esa oportunidad la CIA planificó cuatro atentados. Uno de ellos a través de un francotirador, cuando el líder cubano saludara desde los balcones del palacio de la Moneda. El otro estaba preparado para cuando se brindara una conferencia de prensa, donde dispararían con un revólver colocado en el interior de una cámara de televisión. Los otros dos atentados fueron diagramados en los aeropuertos de Lima y Quito. Todos los planes fracasaron por las medidas de la seguridad cubana y el temor de los ejecutores a perder la vida en el intento.

1973
En septiembre, fue detenido Lázaro Hernández Valdés, quien confesó ser un asiduo oyente de radioemisoras contrarrevolucionarias que transmitían desde La Florida. Hernández Valdés había planeado asesinar a Fidel con un fusil calibre 22 durante el recorrido de bienvenida a Salvador Allende, desde el aeropuerto de La Habana al centro de ciudad.

1976
La CIA recopiló en septiembre información sobre el viaje de Fidel a Luanda, para la conmemoración del primer aniversario del triunfo de la revolución popular angolana. En esa oportunidad, el atentado lo realizaría un comando integrado por Orlando Bosch Ávila y Luis Posadas Carriles. El atentado fracasó, pero no se descubrió a tiempo el resto de los actos terroristas, entre ellos la voladura de un avión cubano sobre la isla de Barbados, donde fueron asesinados 73 pasajeros.

1985-1998

Durante estos años se organizaron diversos atentados contra Castro, en coincidencia con sus viajes al exterior. Fueron desactivados proyectos en Managua (1985); España (1987); en Brasil (1987); en Caracas (1988), en ocasión de la toma de posición del presidente Carlos Andrés Pérez al cual concurriría una delegación cubana.

En 1994, 1995 y 1997 los complots fueron organizados en las distintas sedes de las Cumbres de Iberoamérica.

2000

Un comando terrorista integrado entre otros por Luis Posadas Carriles, Guillermo Novo Sampol y Pedro Remón Crispín, intentó asesinar a Castro durante la X Cumbre Iberoamericana que se desarrolló en Panamá. El proyecto consistía en dinamitar el paraninfo universitario en el que haría uso de la palabra Fidel, en un mitin de solidaridad con Cuba. Los terroristas fueron capturados y condenados por la justicia panameña. En los días finales de su mandato, la presidenta Mireya Moscoso les concedió el indulto, a sugerencia del embajador norteamericano.

Éstos son sólo algunos de los atentados, se describan o no en el cuerpo del libro. La apabullante cantidad de atentados, y el carácter de breviario del presente volumen, nos inhiben de una pormenorizada y casi imposible descripción de todos. No obstante, para el lector interesado recomendamos la lectura de los libros de Fabián Escalante (ver Bibliografía), del cual todos los que nos ocupamos del tema somos obligados deudores.

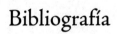

Bibliografía

- Báez, Luis: *El mérito es estar vivo*, La Habana, Prensa Latina, 2005.

- Buajasán Marrawi, José y Torreira Crespo, Ramón: *Operación Peter Pan. Un caso de guerra psicológica contra Cuba*, La Habana, Editora Política, 2000.

-Buajasán Marrawi, José y Méndez, José Luis: *La República de Miami*, La Habana, Editorial de Ciencias Sociales, 2003.

-Calloni, Stella: *Operación Cóndor. Pacto criminal*, La Habana, Editorial de Ciencias Sociales, 2005.

-Chile, Secretaría General de Gobierno: *Los documentos secretos de la ITT*, Santiago de Chile, Editorial Quimantú, 1972.

-Escalante, Fabián, *Acción Ejecutiva. Objetivo Fidel Castro*, La Habana, Ocean Press, 2006.

-Escalante, Fabián: *Operación Exterminio. 50 años de agresiones contra Cuba*, La Habana, Editorial Ciencias Sociales, 2008.

-Faya, Ana Julia y Rodríguez, Pedro Pablo: *El despliegue de un conflicto*, La Habana, Editorial de Ciencias Sociales, 1996.

-Frattini, Eric: *CIA. Joyas de familia*, Madrid, Ediciones Roca, 2008.

-Hobsbawm, Eric: *Historia del siglo XX*, Buenos Aires, Paidós/Crítica, 2007.

-Jiménez Gómez, Rubén: *Octubre de 1962. La mayor crisis de la era nuclear*, La Habana, Editorial de Ciencias Sociales, 2003.

-Méndez, José Luis: *Bajo las alas del Cóndor*, Buenos Aires, Cartago, 2007.

-Ramonet, Ignacio: *Cien horas con Fidel*, La Habana, Oficina de Publicaciones del Consejo de Estado, 2006.

-Stonor Saunders, Frances: *La CIA y la guerra fría cultural*, Madrid, Debate, 2001.

-Weiner, Tim: *Legado de cenizas. La historia de la CIA*, Buenos Aires, Sudamericana, 2008.

Sitios WEB
www.14vilanova.edu/davidbarrett
www.foia.cia.gov/guatemala.asp
www.archives.gov
www.history-matters.com
www.cubaminrex.cu

Índice

Índice

¡Maten a Fidel!, de José Andrés López,
fue impreso y terminado en agosto de 2009
en Encuadernaciones Maguntis,
Iztapalapa, México, D. F. Teléfono: 56 40 90 62.
Realización editorial: Page S.R.L. (page@fibertel.com.ar)
Corrección: Mariano Sanz
Formación: Victoria Burghi

5/10